9787516028155

U0855974

第二届山东省高等学校优秀教材一等奖

高职高专土木工程专业“十三五”规划教材

与杨月英 高丽燕主编的《建筑制图与识图》配套使用

建筑制图与识图习题集

（第4版）

杨月英 高丽燕 主编

张效伟 莫正波 王培 郑杰 副主编

中国建材工业出版社

目　　录

第 1 章　建筑制图基本知识

第 2 章　正投影基础

第 3 章　立体的投影

第 4 章　组合体的投影图

第 5 章　轴测投影图

第 6 章　建筑形体的表达方法

第 7 章　建筑施工图

第 8 章　结构施工图

第 9 章　给水排水施工图

第 10 章　道路、桥梁、涵洞、隧道工程图

1-1　字体练习

建 筑 制 图 工 业 民 用 房 屋 平 立 剖 设 计 透 视 投 影 直 线 字 体 城 市 县

1-2　基本练习：按原图1:1画在右边

（1）线型练习

（2）直线连接

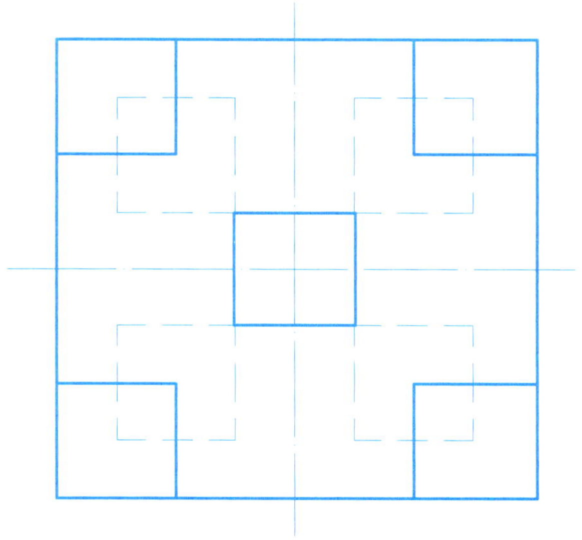

1-3　作圆直径为60mm的内接正五边形

1-4　作一半径为40mm的圆弧内切于O_1外切于O_2

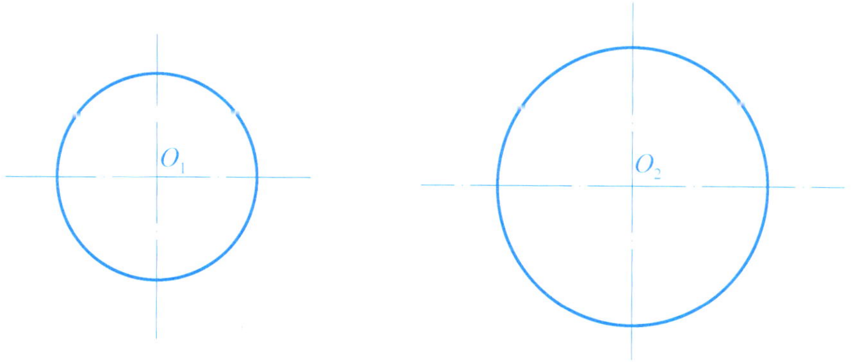

作业指导

第一次作业：

一、目的

要求学生熟悉绘图工具的使用。

二、要求

1. 图纸：A3 号图幅；
2. 比例：1∶1；
3. 图线：要求粗、中、细各线型宽度分明；
4. 字体：图名和校名用 10 号仿宋体字，其余用 7 号仿宋体字，先画出长方框，后填写文字。

三、绘图步骤

1. 擦净图板及绘图仪器；
2. 铺平图纸；
3. 用 2H 或 H 笔画底稿；
4. 检查，用 B 笔加深底稿；
5. 标注尺寸。

四、完成内容

1. 直线连接；
2. 建筑材料图例；
3. 标题栏用下图的简化格式。

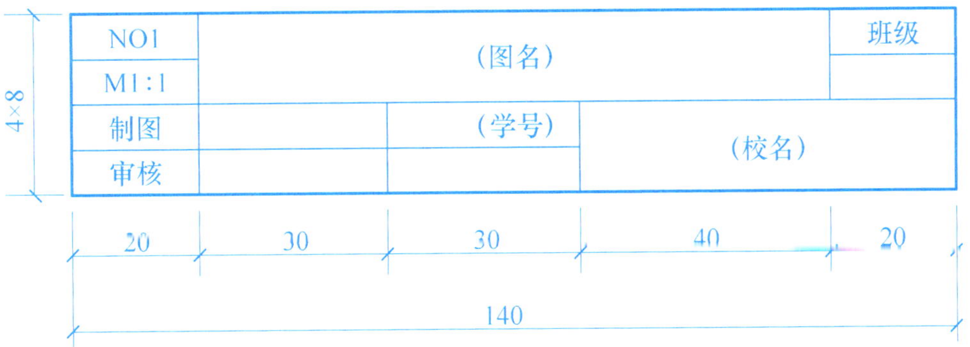

（1）直线连接

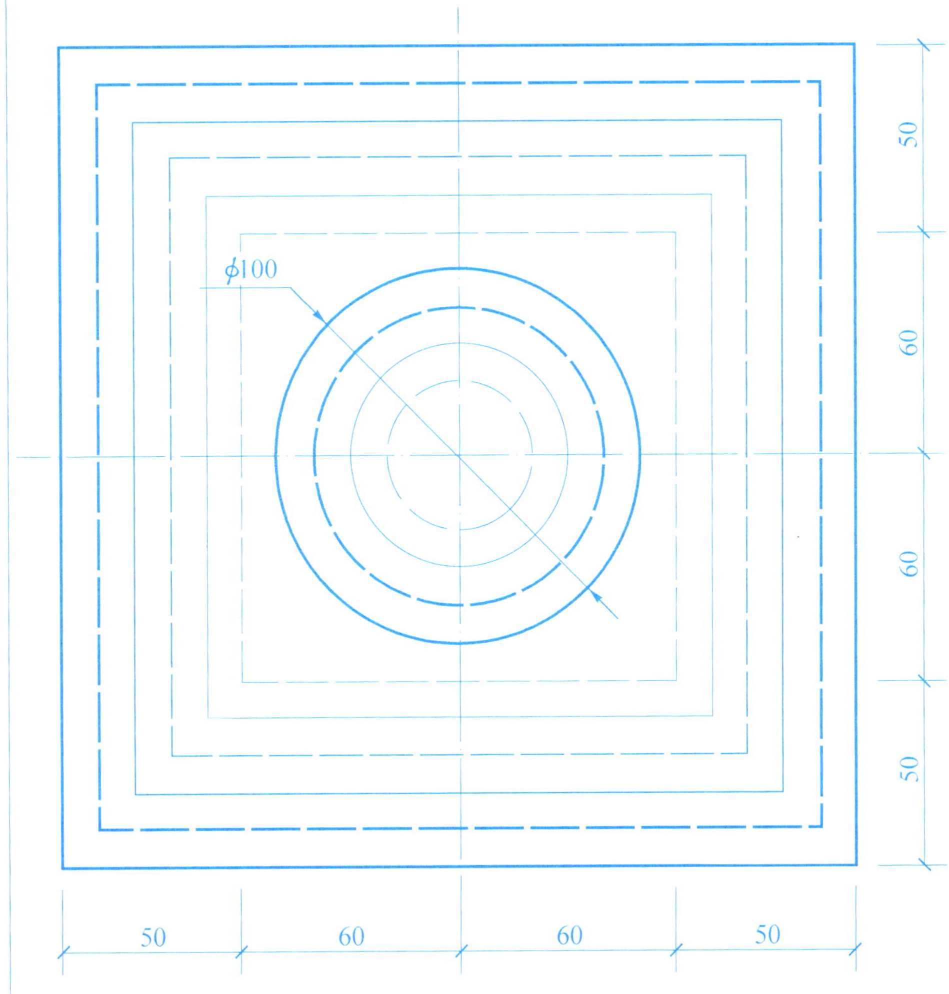

（2）建筑材料图例

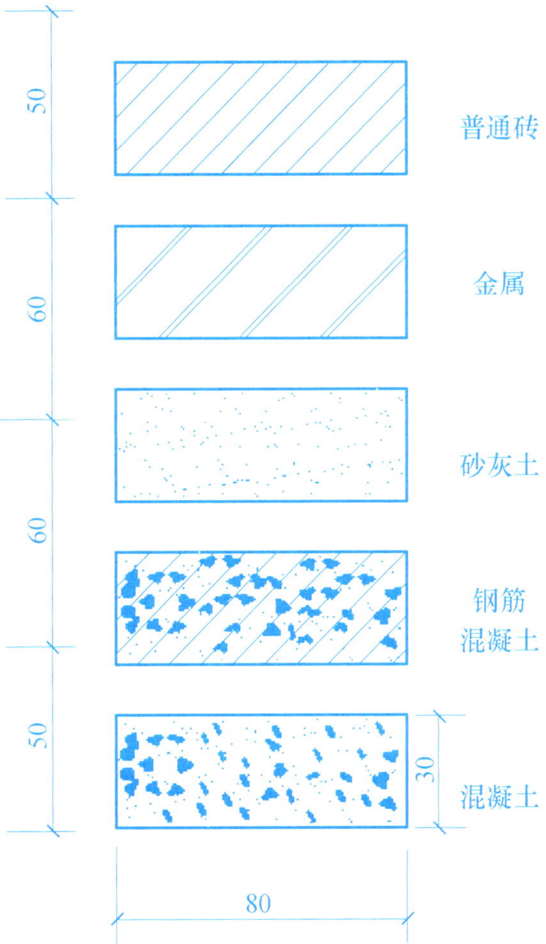

作业指导

第二次作业：

一、目的

要求学生熟悉圆弧连接的正确画法。

二、要求

1. 图纸：A3 号图幅；
2. 比例：按所给比例；
3. 图线：要求粗、中、细各线型宽度分明；
4. 字体：图名和校名用 10 号仿宋体字，其余用 7 号仿宋体字，先画出长方框，后填写文字。

三、绘图步骤

1. 做好准备工作；
2. 先画中心线；
3. 用 2H 或 H 笔画底稿；
4. 画已知线段（直线或圆弧）；
5. 画中间线段（直线或圆弧）；
6. 画连接线段（直线或圆弧）；
7. 检查，用 B 笔加深底稿；
8. 标注尺寸。

四、完成内容

1. 花饰；
2. 扶手；
3. 隧道；
4. 立交桥。

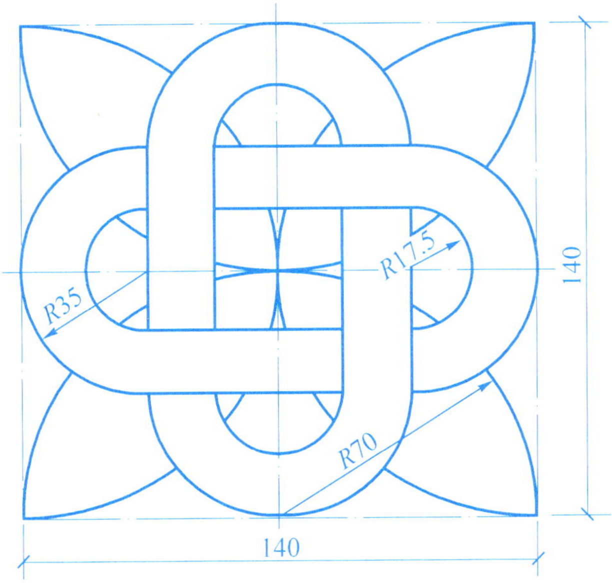

花饰1:2

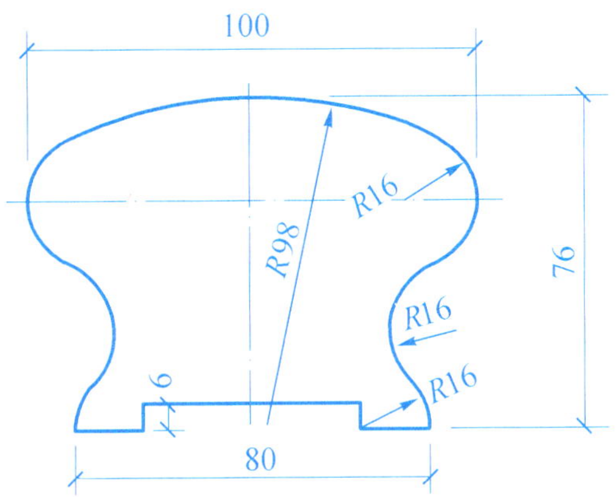

扶手1:1

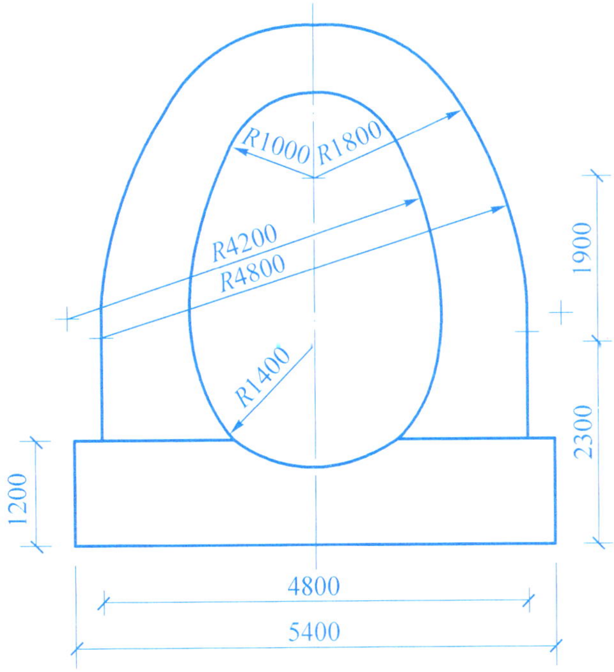

隧道1:100

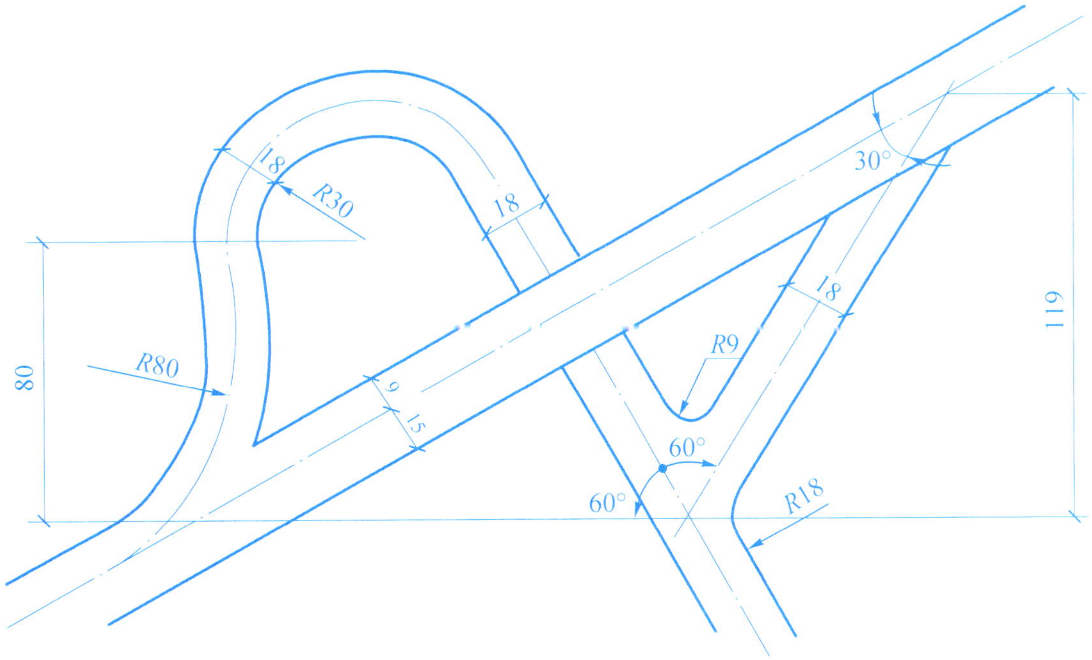

立交桥1:1

2-1　对照投影图，在立体图旁边的圈内填写上编号

1.

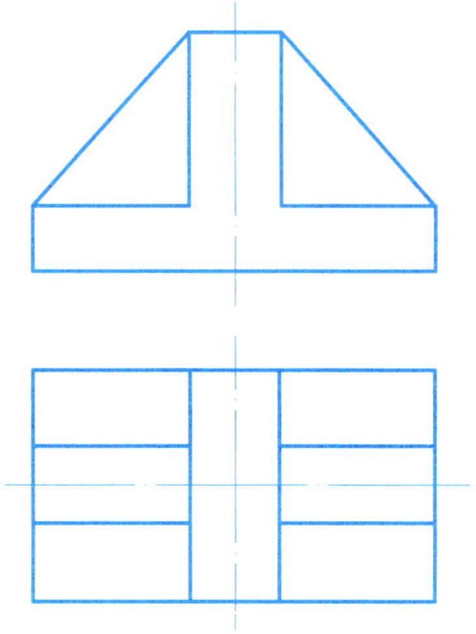

2.

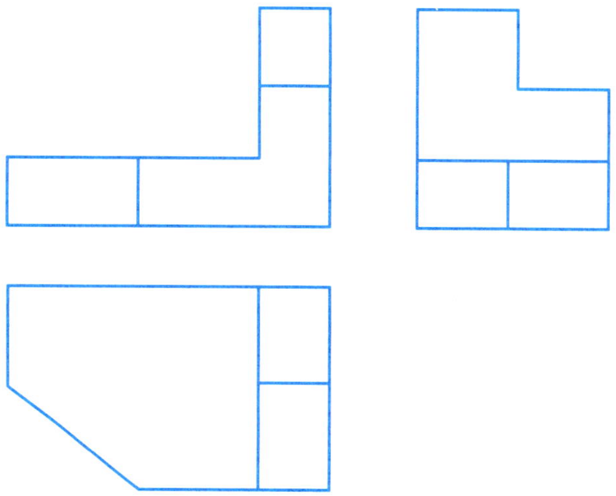

3.

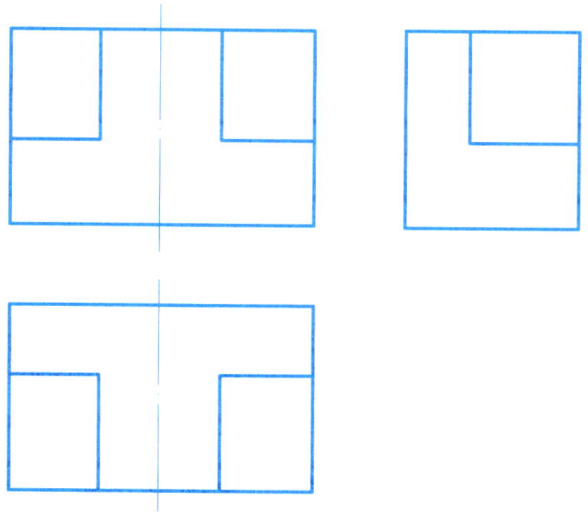

4.

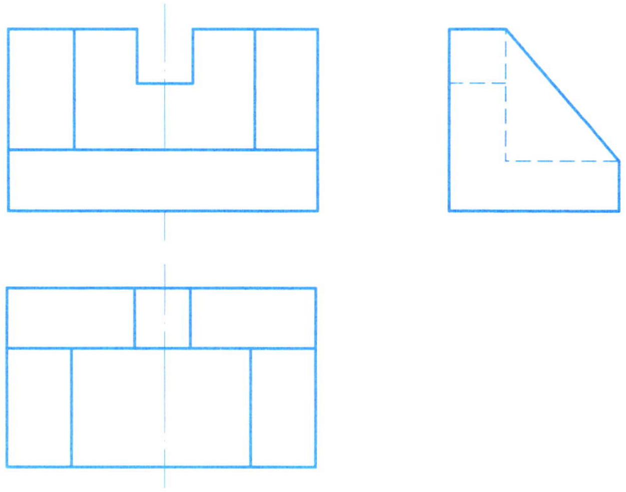

5.

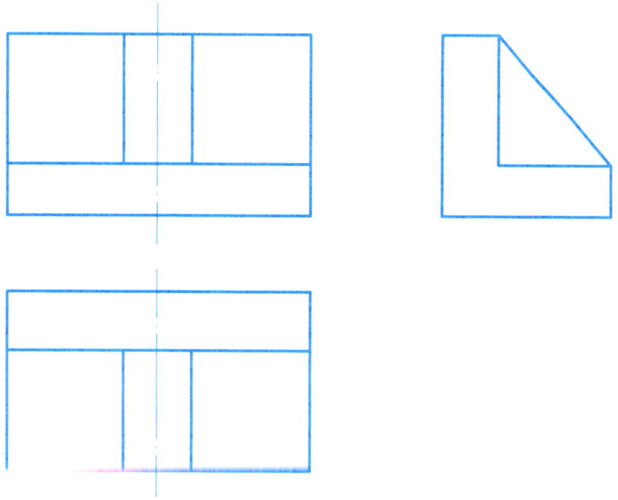

6.

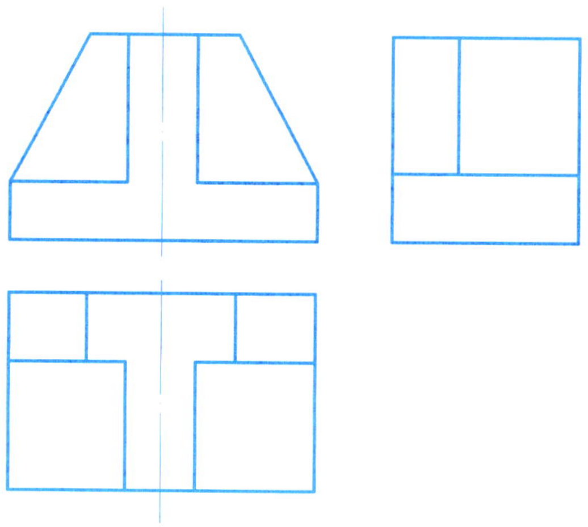

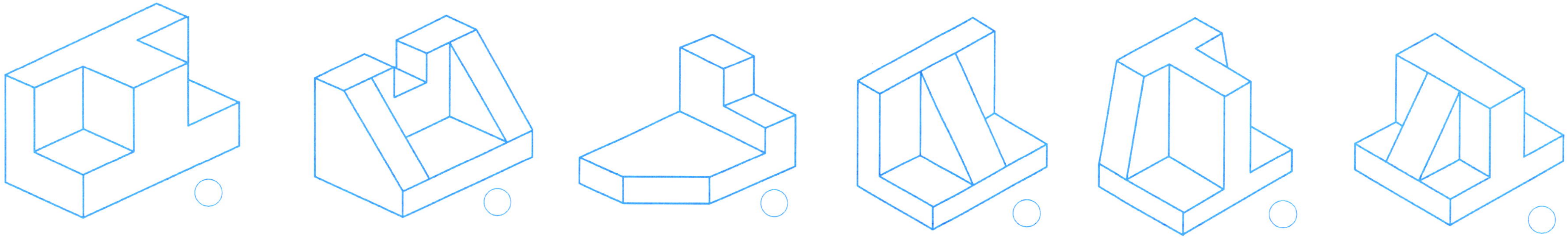

2-2　补画投影图中漏画的线条

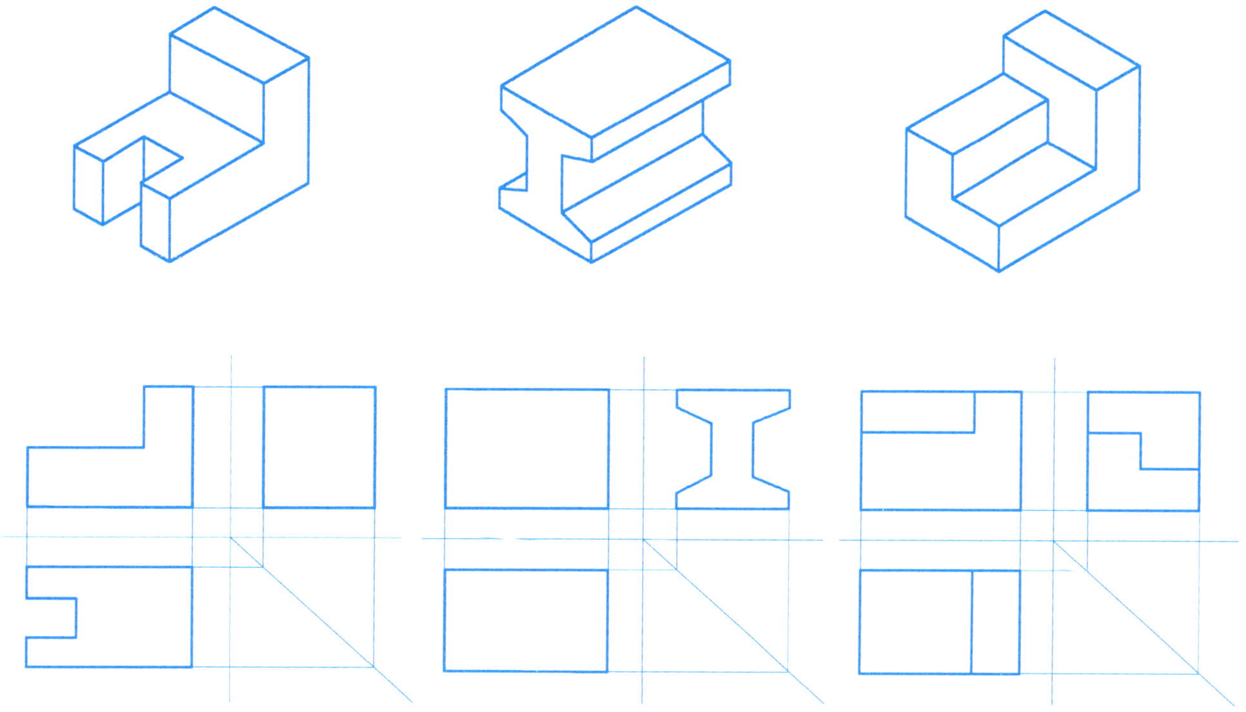

2-3　已知 *V* 面投影图和 *H* 面投影图，选正确的 *W* 面投影图

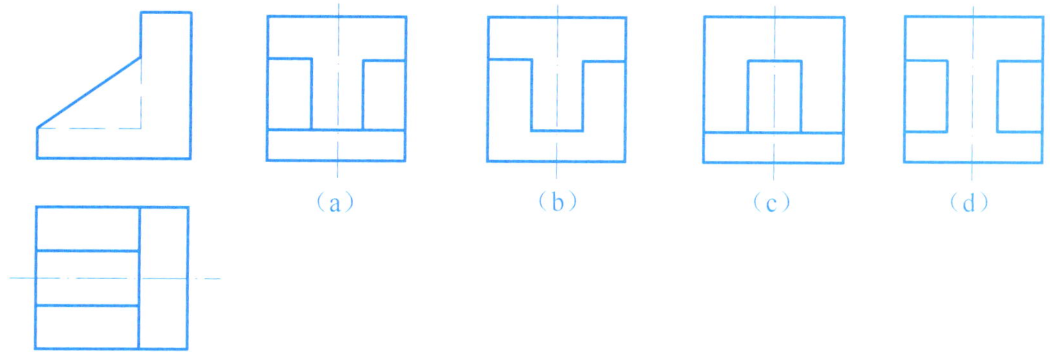

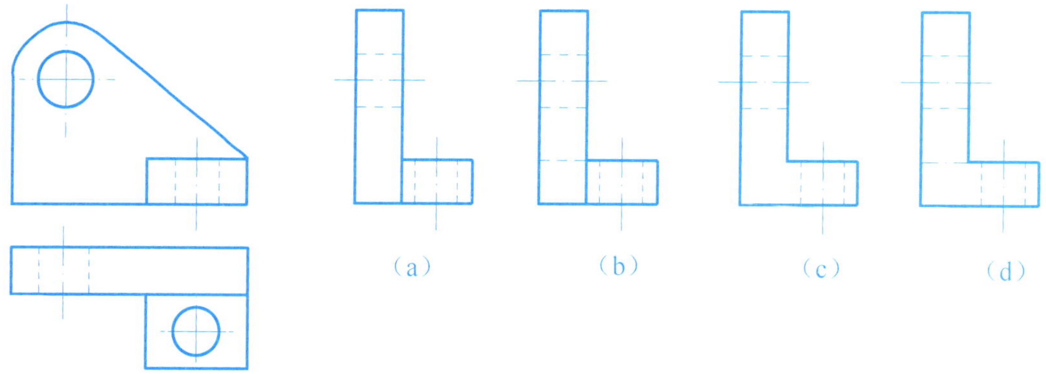

2-4　根据立体图和两面投影图，补画第三面投影图

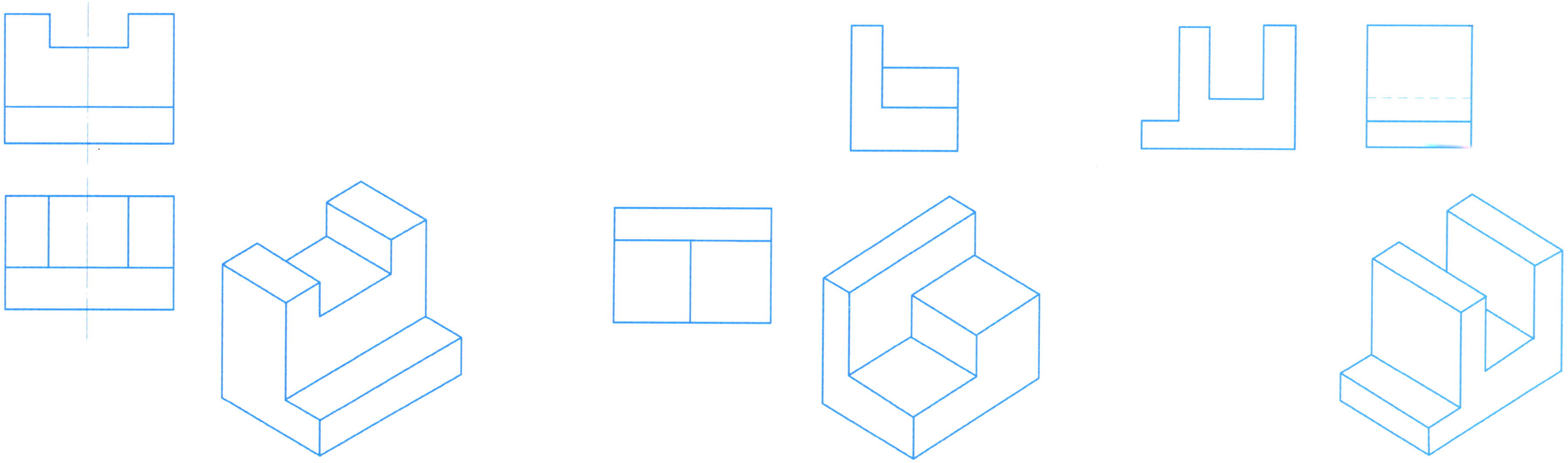

2-5 对照立体图，在三面投影图中注明 A、B、C 三点的三面投影

（1）

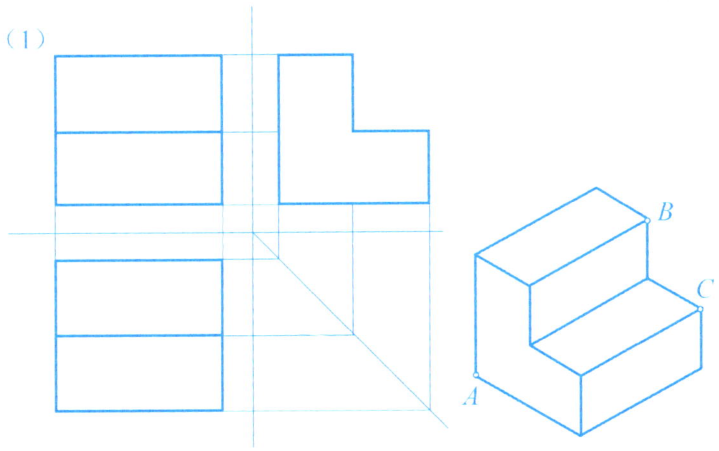

（2）

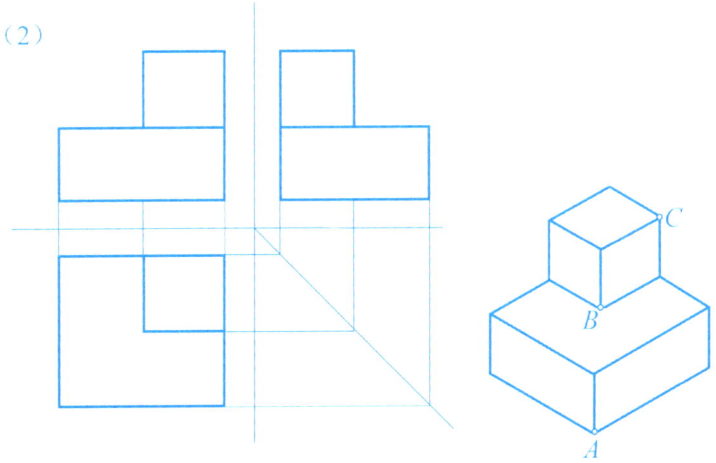

（3）

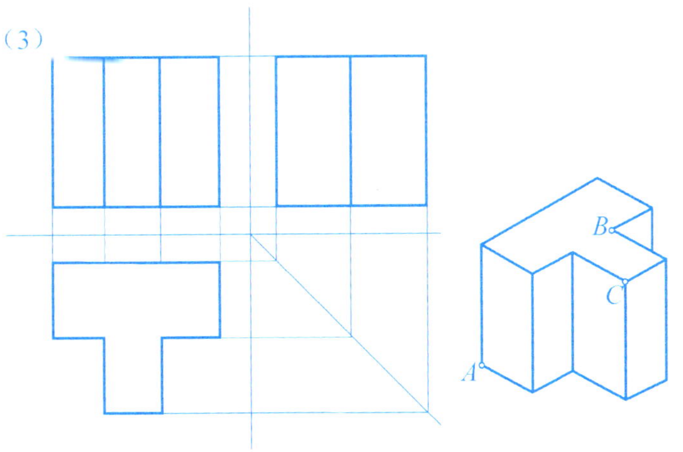

（4）

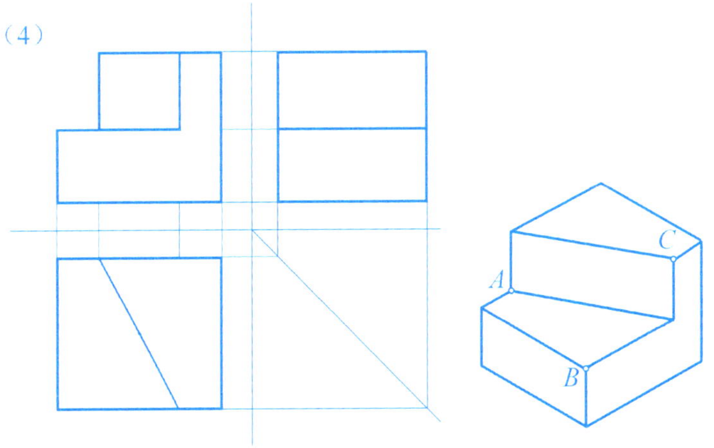

2-6 已知点 A、B、C 三点的空间位置，求作其三面投影

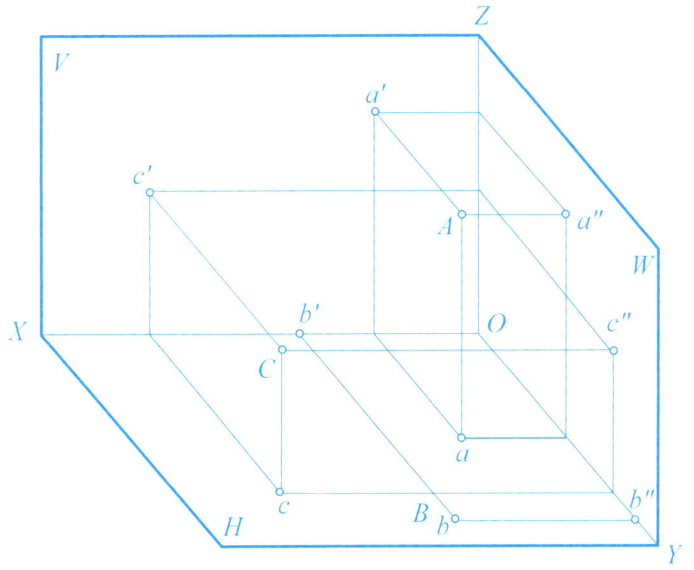

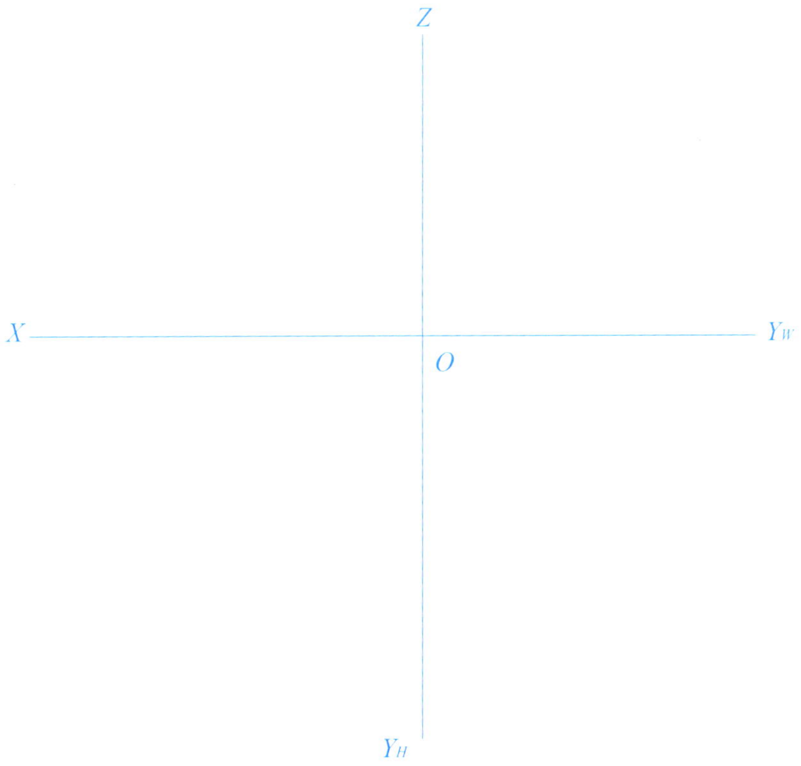

2-7　已知 A（15，35，5）、B（5，25，15）、C（35，5，20）三点的坐标，画出三点的立体图和投影图

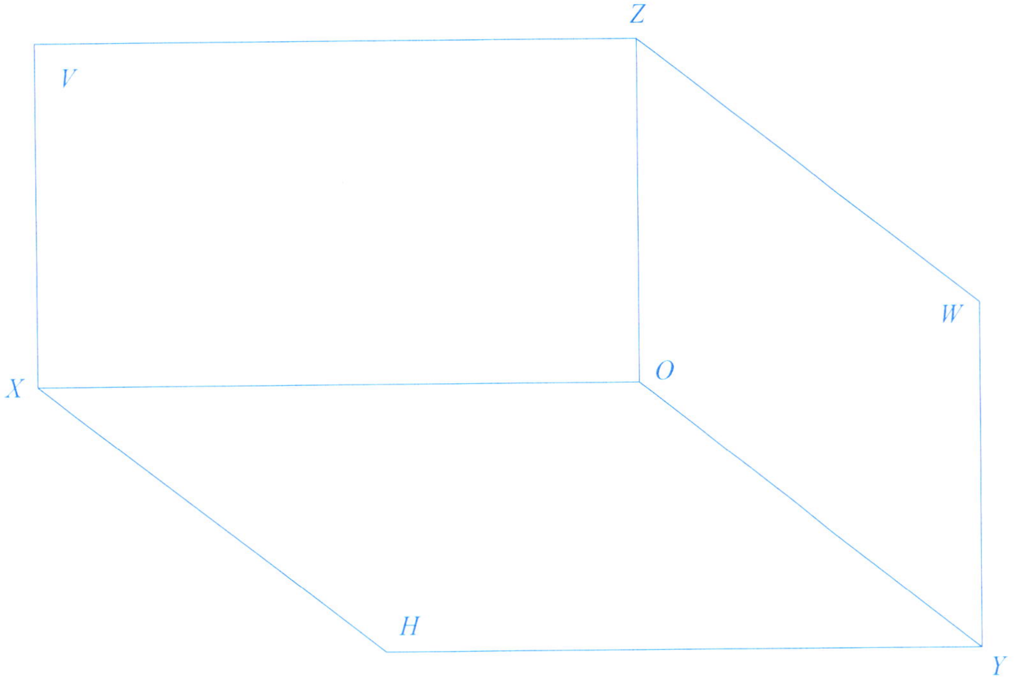

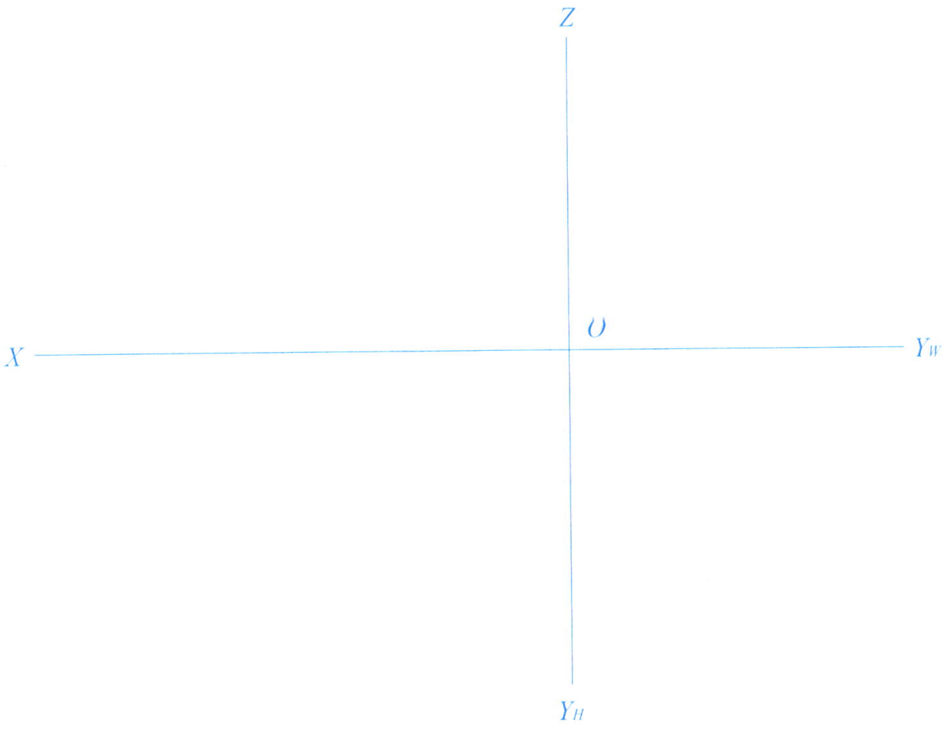

2-8　已知点 B 距点 A 为 15，点 C 与点 A 是对 V 面的重影点，点 D 在点 A 的正下方为 15

（1）求各点的第三面投影

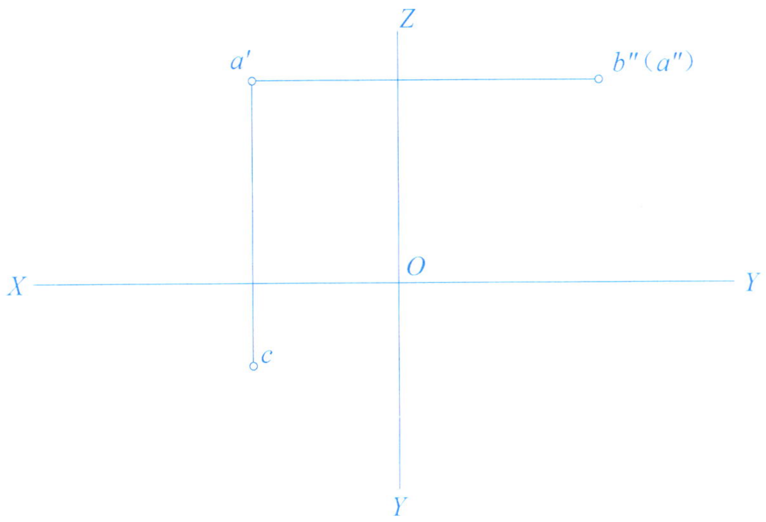

（2）求各点的三面投影

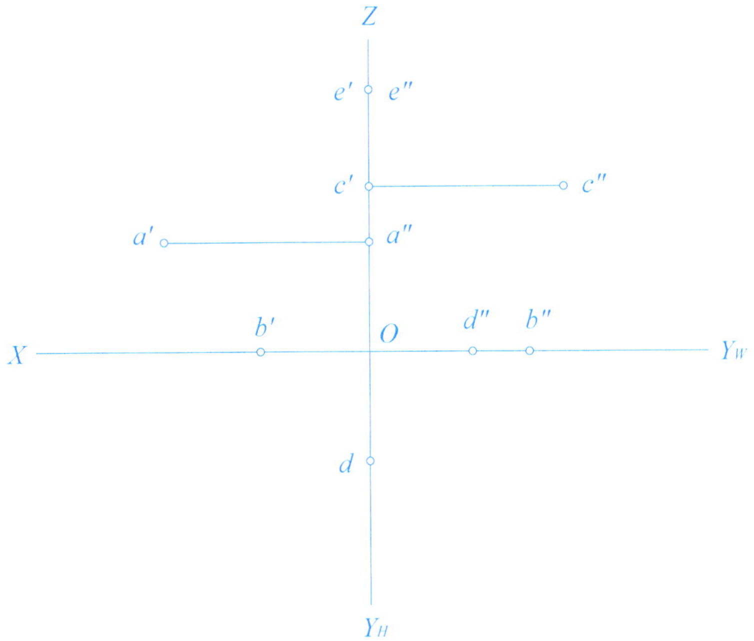

2-9　在下列投影图中，试标出立体图上所注线段的三面投影，并判断直线的空间位置

（1）

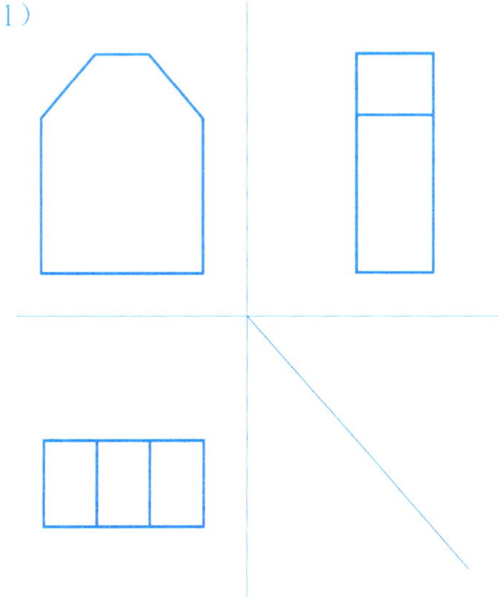

AB　正垂线

BC ________

CD ________

BE ________

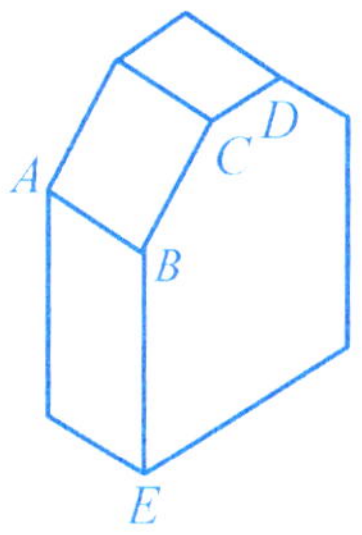

（2）

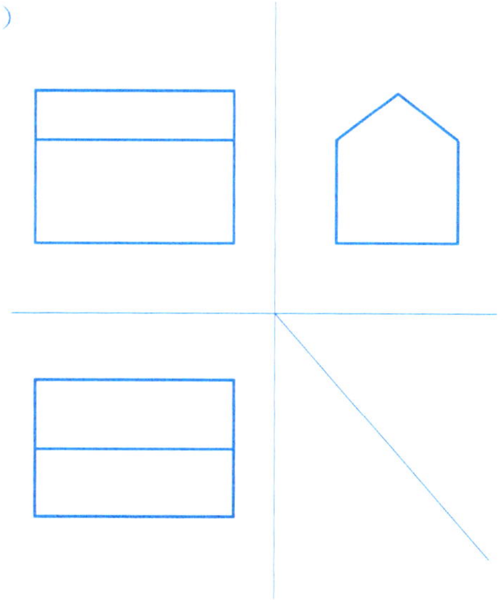

AB ________

BC ________

BD ________

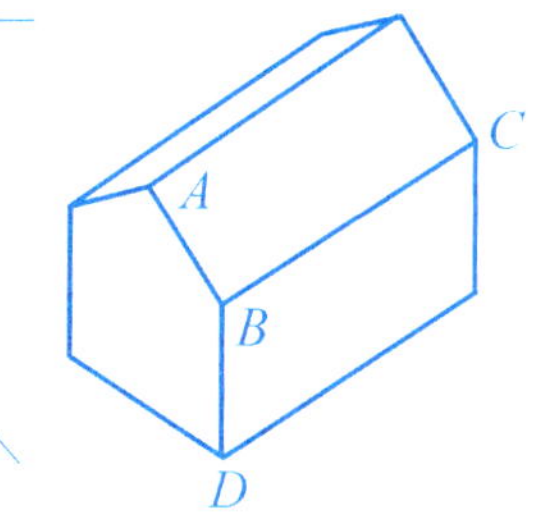

（3）

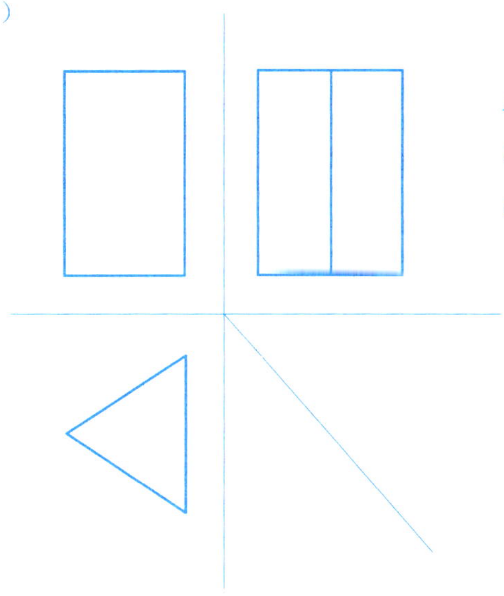

AB ________

BD ________

CA ________

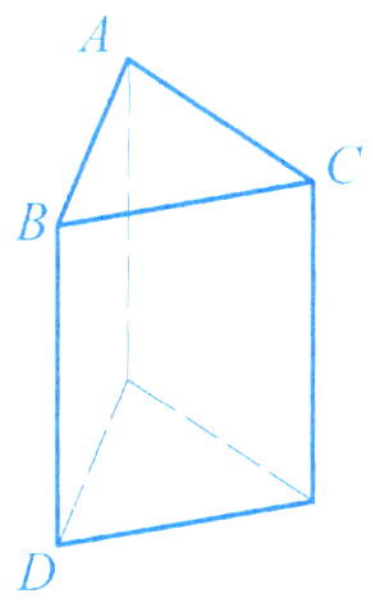

（4）

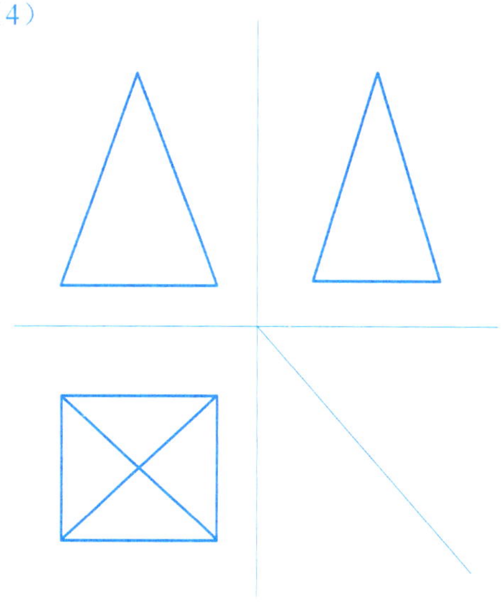

AB ________

BC ________

CD ________

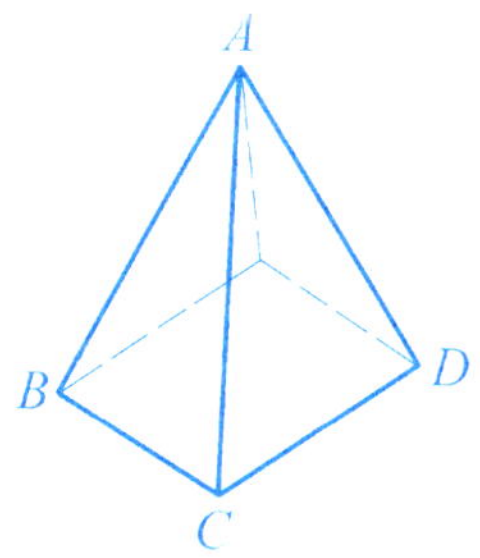

2-10　已知直线 AB 的两面投影，完成其第三面投影

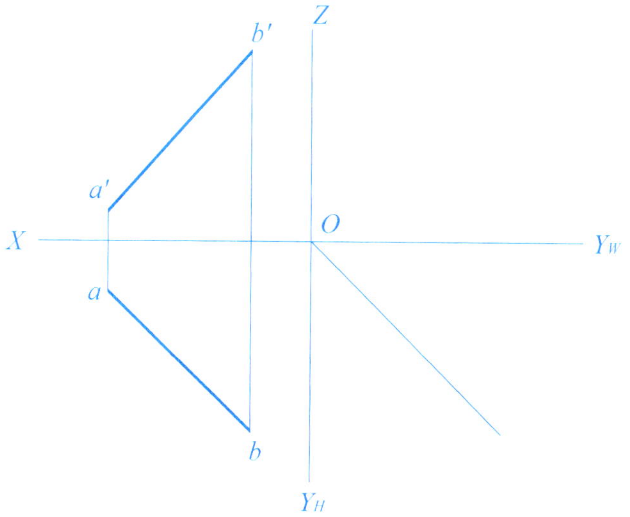

2-11　判断下列两直线的相对位置

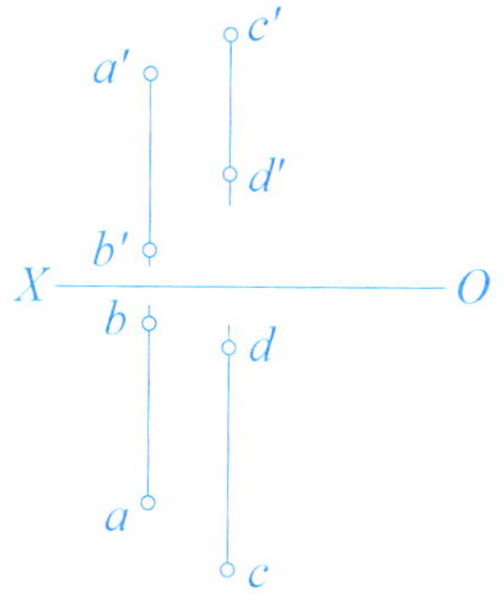

AB与CD ________

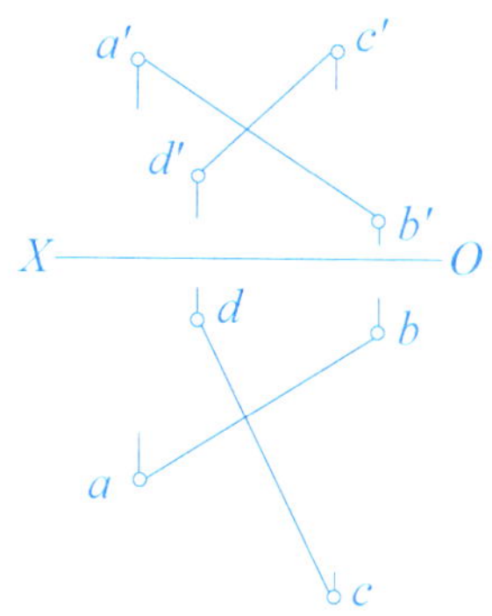

AB与CD ________

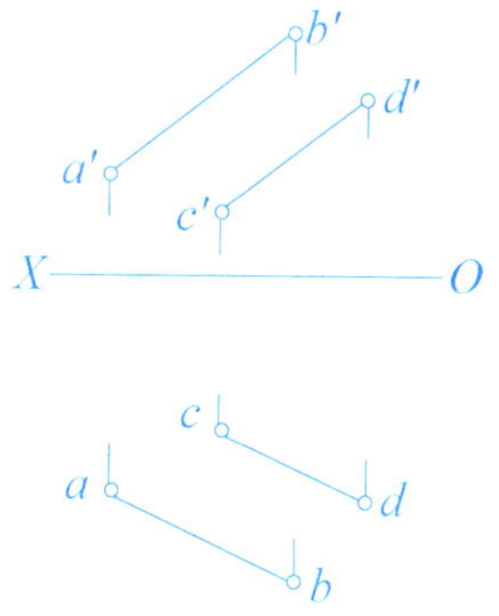

AB与CD ________

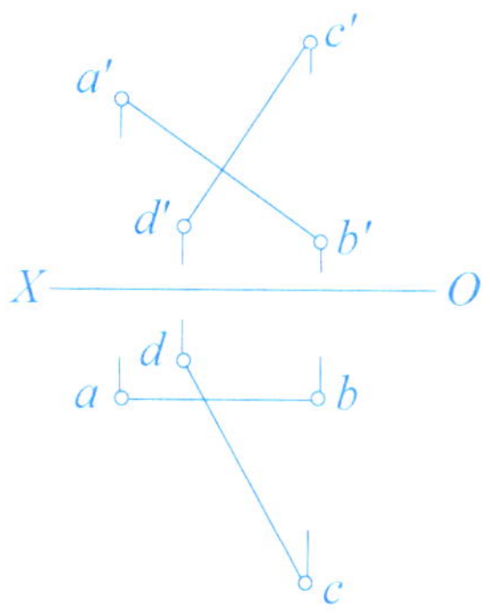

AB与CD ________

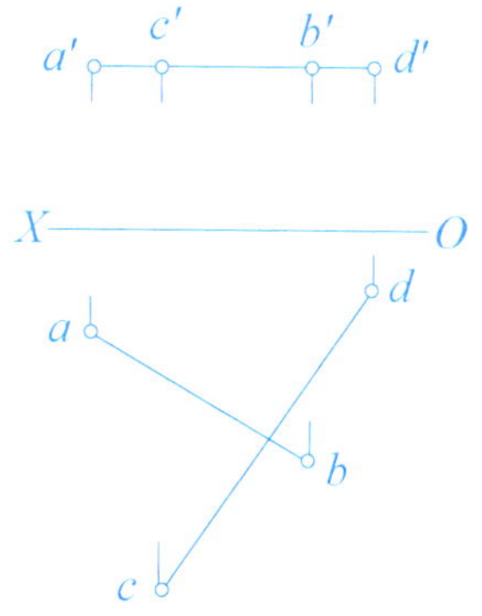

AB与CD ________

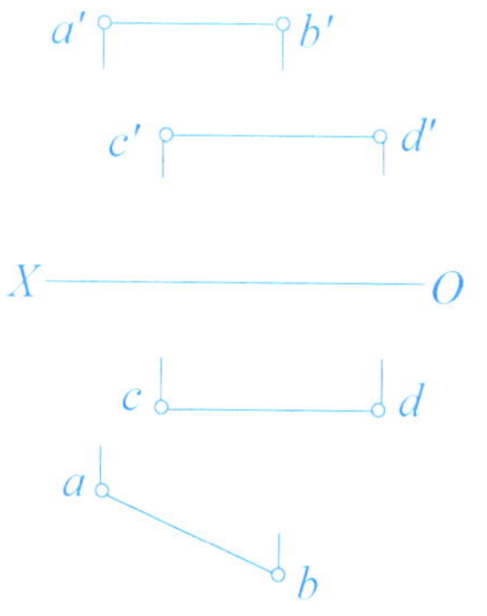

AB与CD ________

2-12　在下列投影图中，试标出立体图上所注平面的三面投影，并判断平面的空间位置

（1）

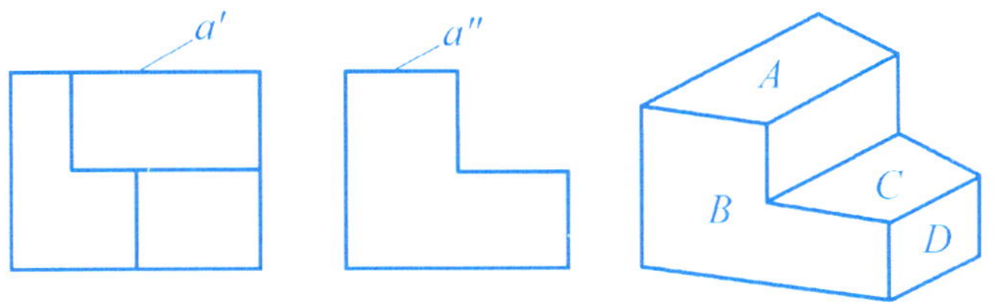

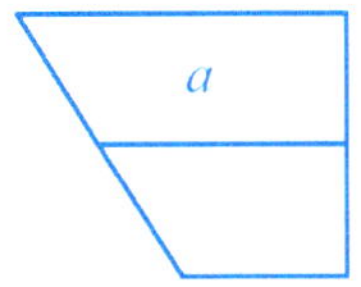

A是 水平 面　C是______面

B是______面　D是______面

（2）

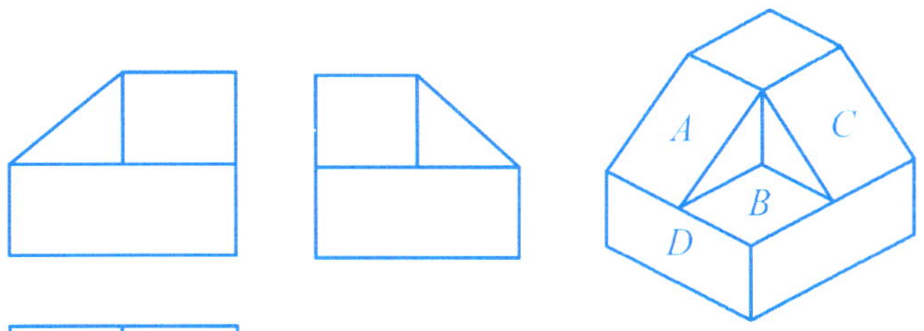

A是______面　C是______面

B是______面　D是______面

（3）

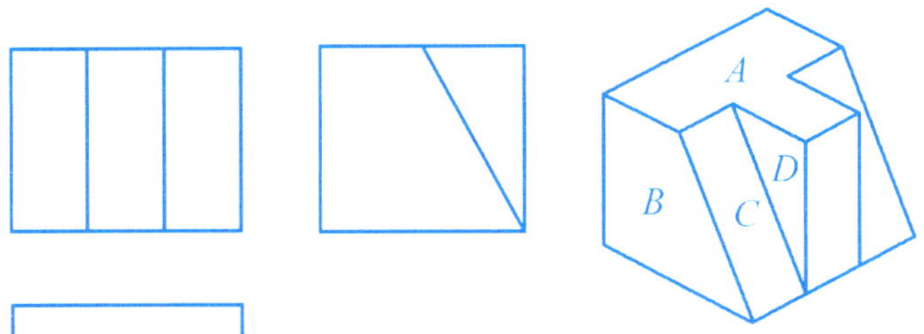

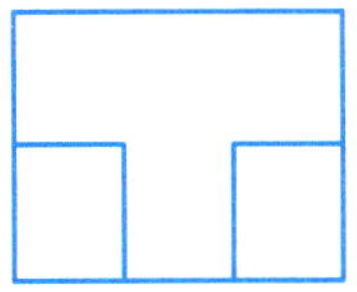

A是______面　C是______面

B是______面　D是______面

（4）

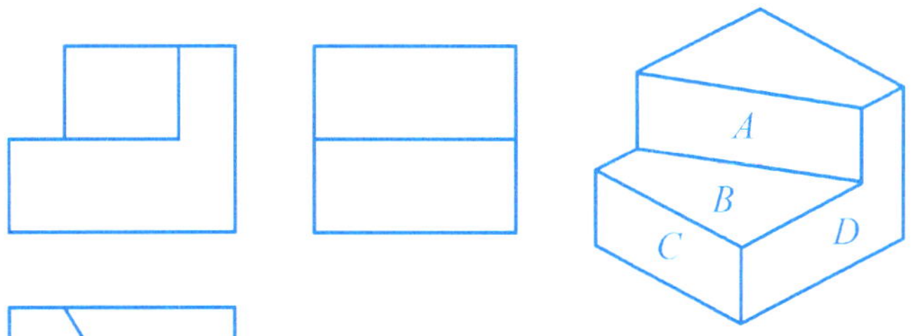

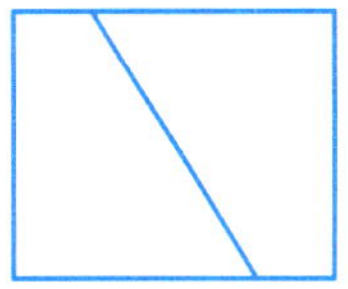

A是______面　C是______面

B是______面　D是______面

2-13　判断下列平面的位置

（1）

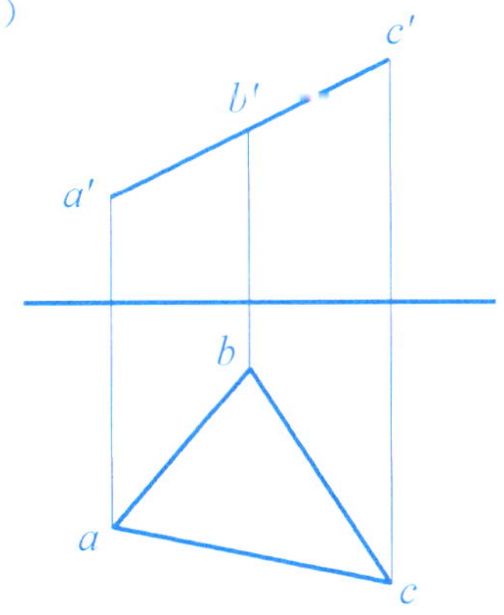

△ABC是______面

（2）

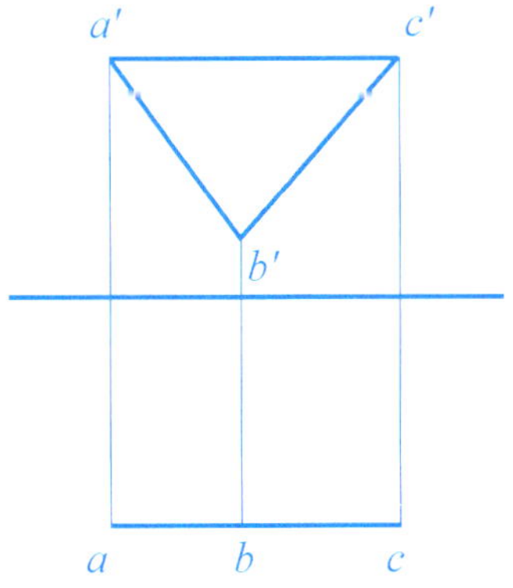

△ABC是______面

（3）

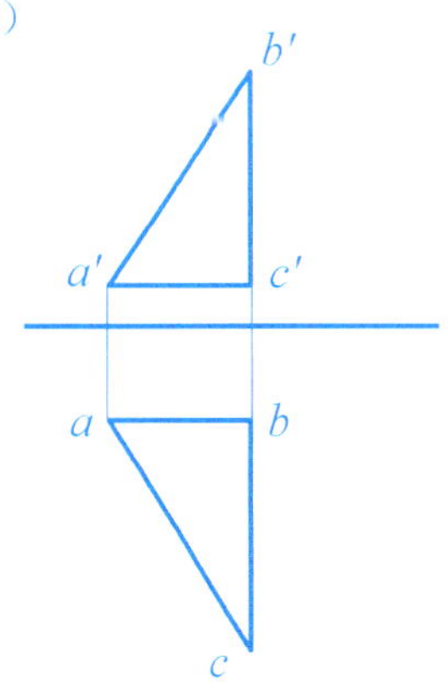

△ABC是______面

（4）

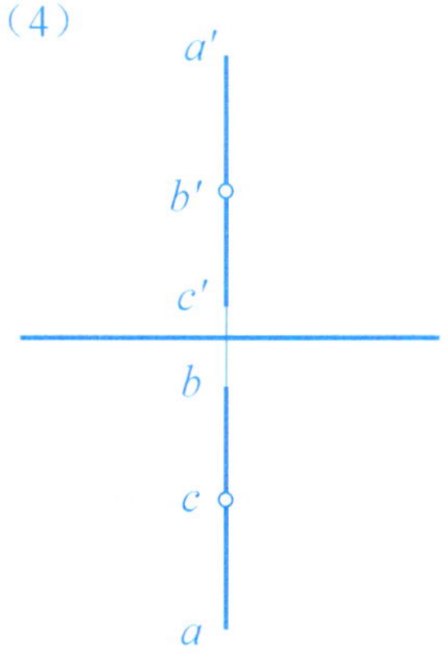

△ABC是______面

2-14　完成平面图形 ABCDEFGH 的三面投影，并判断平面图形和直线 EF、FG 的空间位置

平面 ABCDEFGH 是______面

直线 EF 是______线

直线 FG 是______线

2-15　已知平面的两面投影，完成其第三面投影

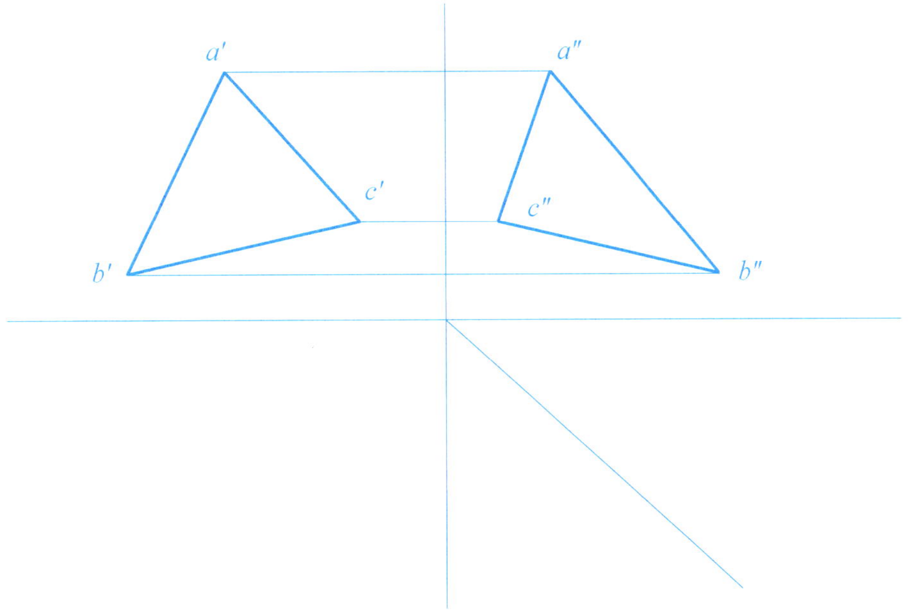

2-16　已知 *CD* 为水平线，试完成平面图形 *ABCD* 的水平投影

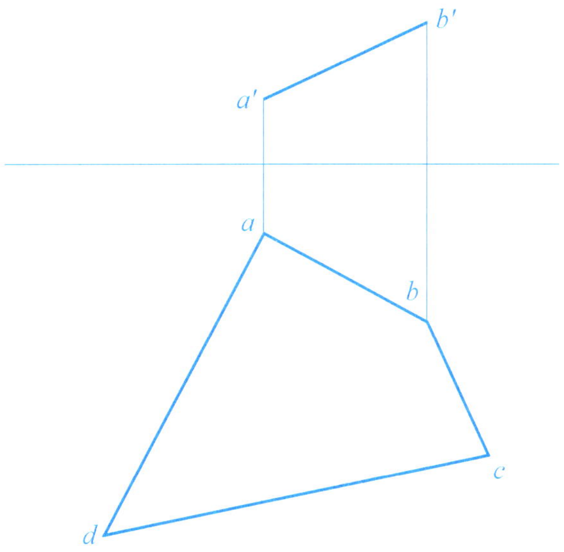

2-17　完成平面图形 *ABCDE* 的水平投影

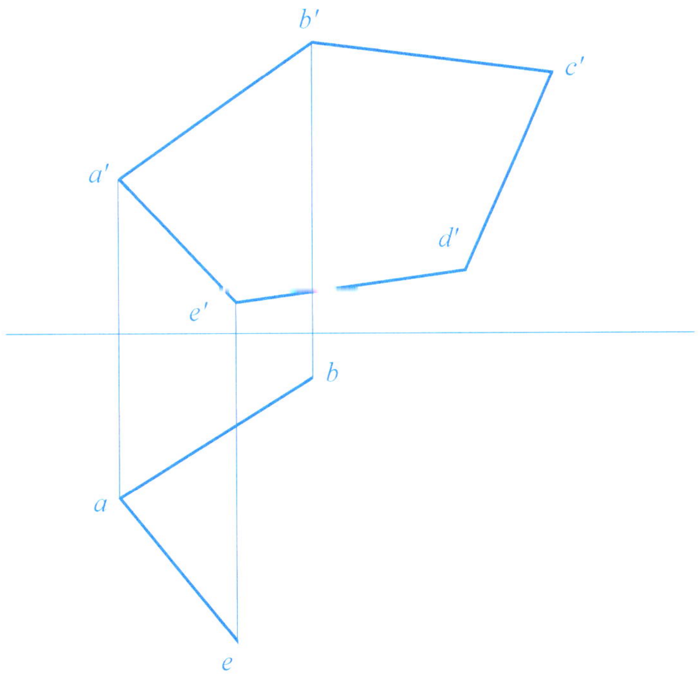

2-18　求平面上点 *k* 与点 *n* 的另一面投影

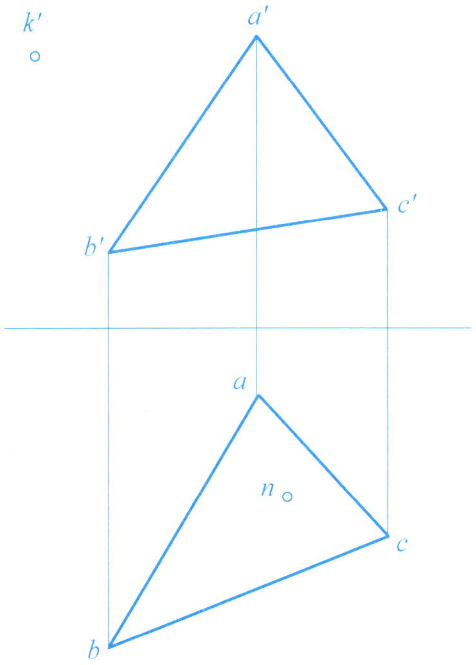

3-1　补画基本立体的第三面投影图，并求其上点、线的其他两面投影

1.

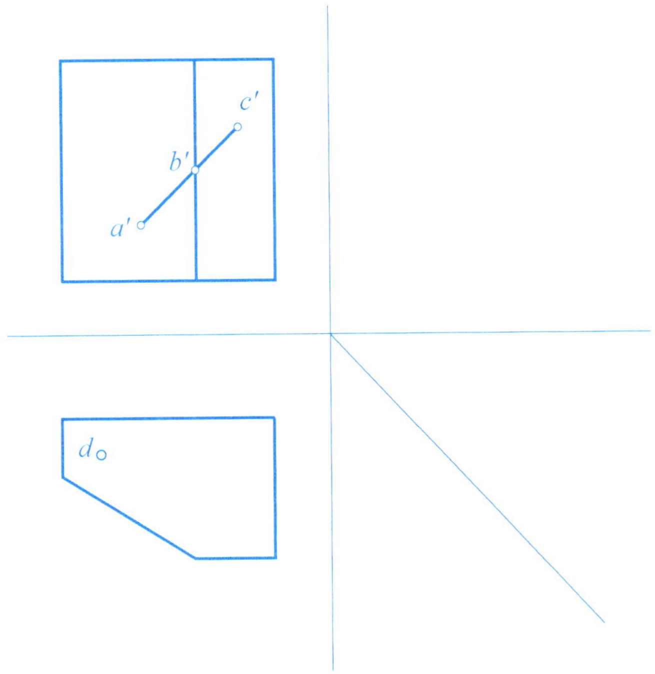

2.

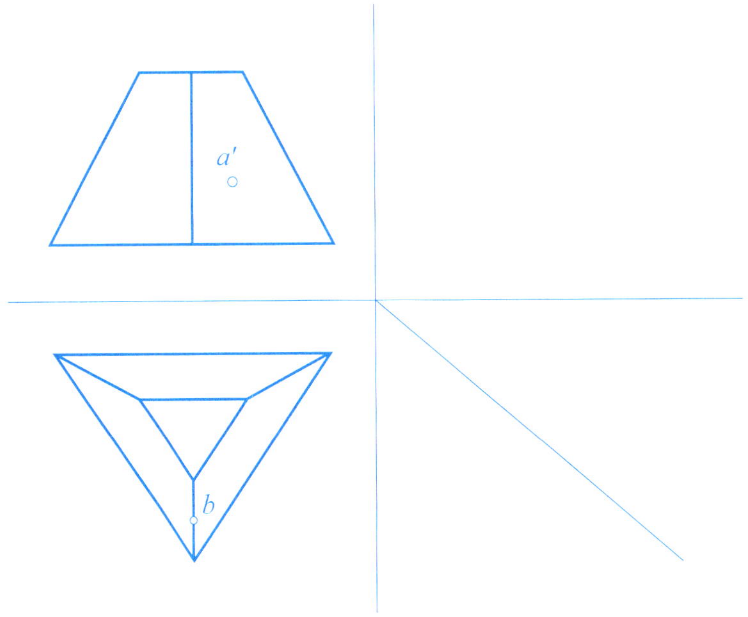

3.

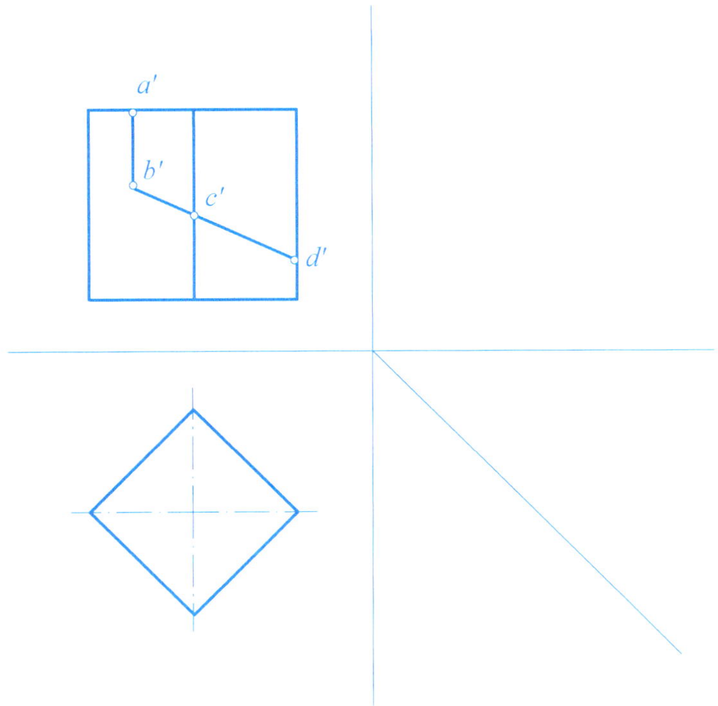

4.

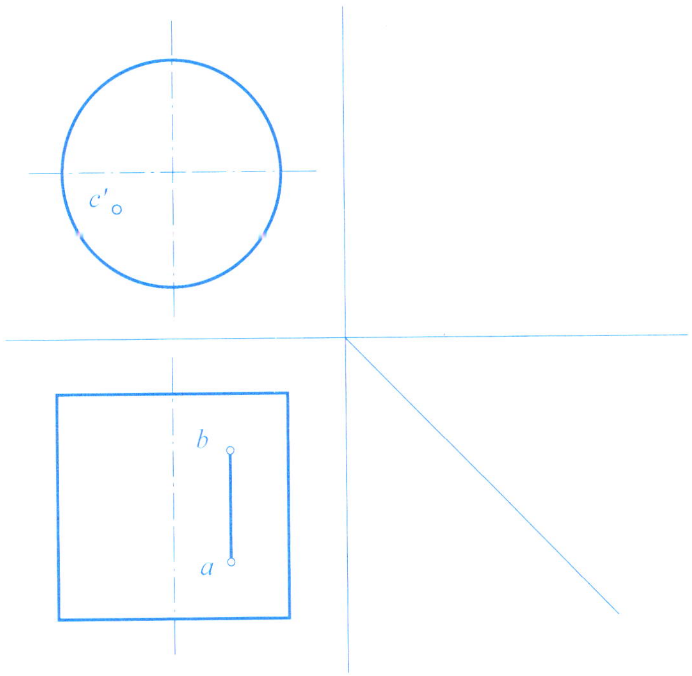

5.

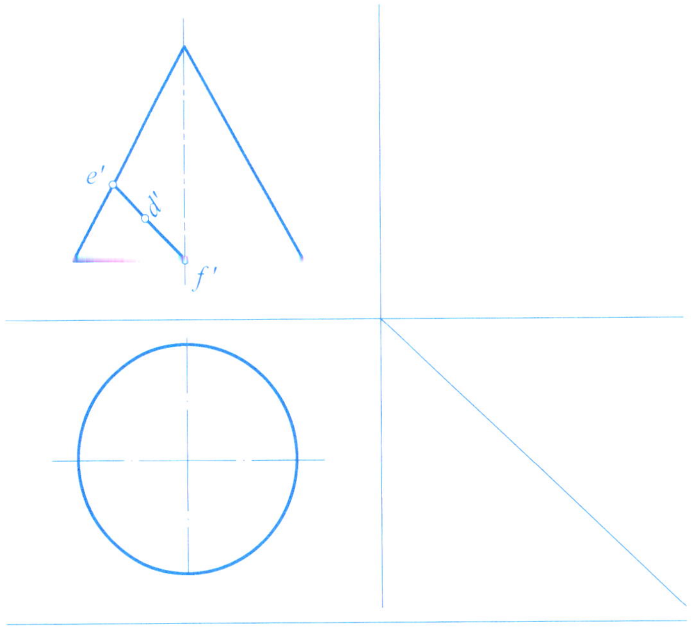

6.

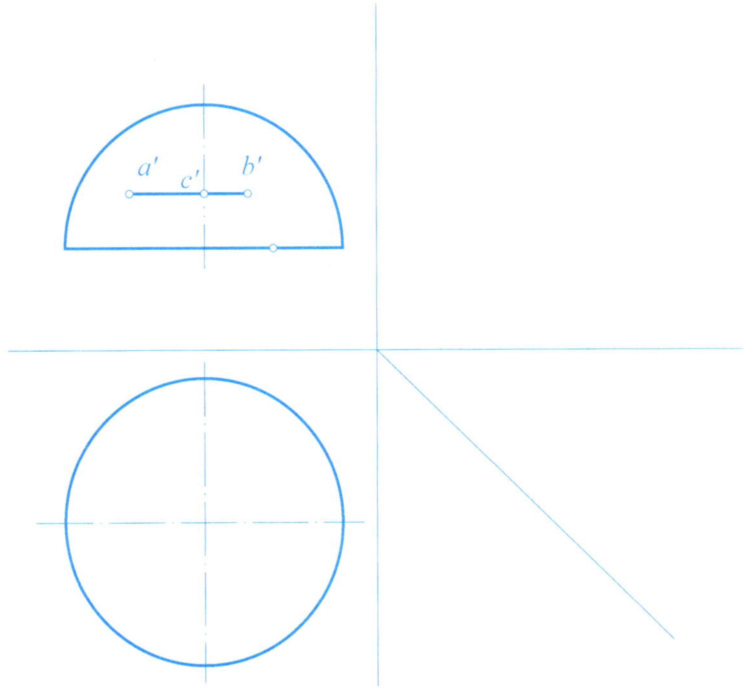

3-2　画出平面立体切割后的三面投影图

1.

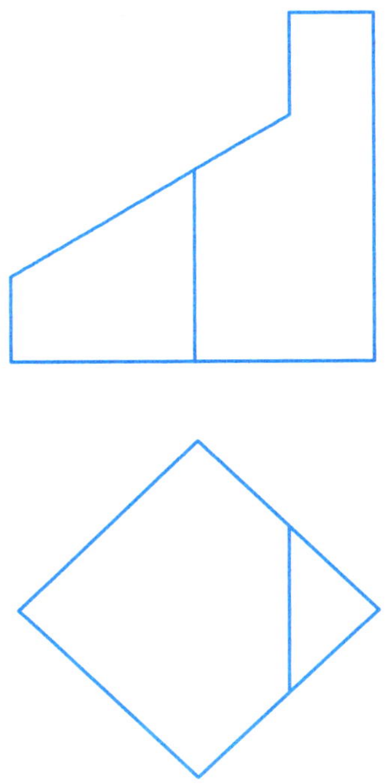

2.

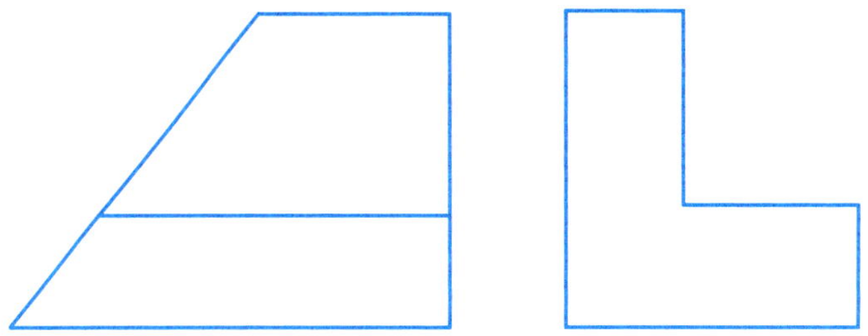

3.

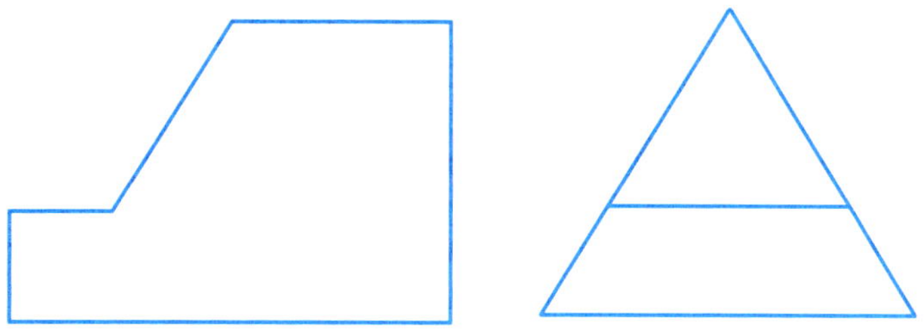

4.

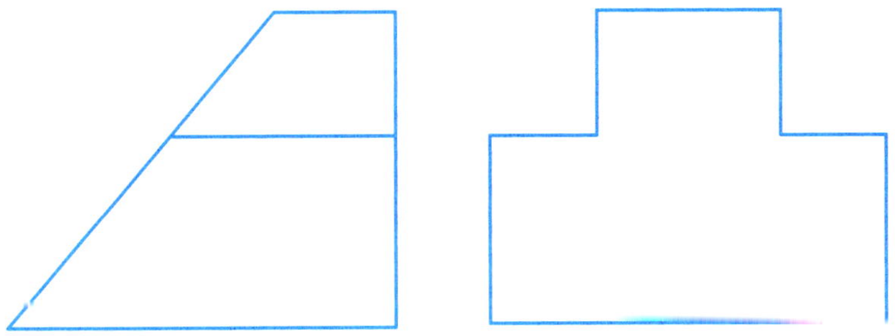

5.

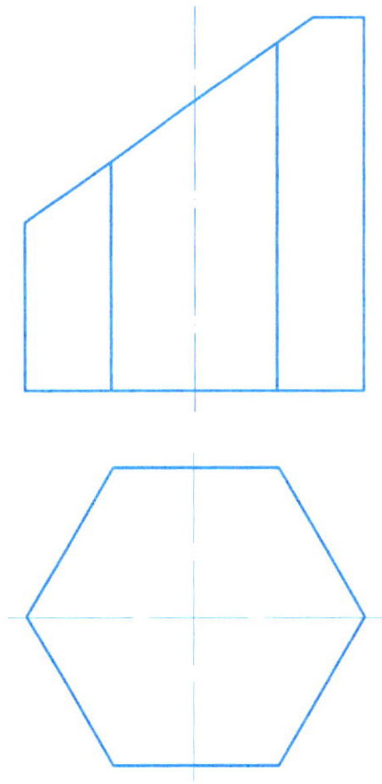

6.

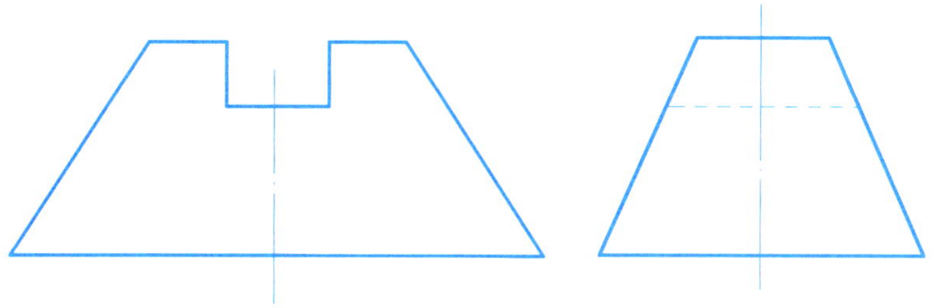

3-3　画出曲面立体切割后的三面投影图

1.

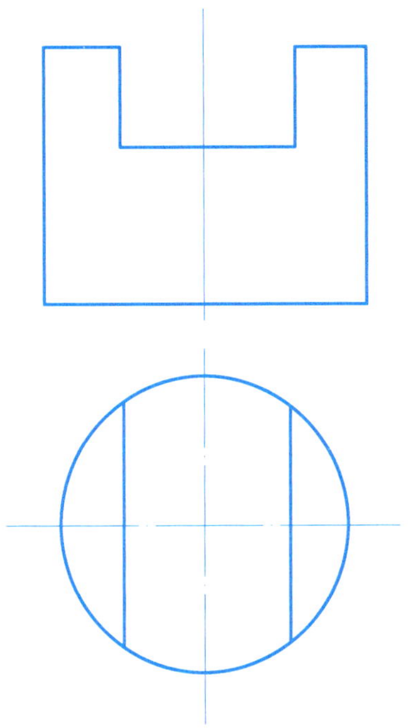

2.

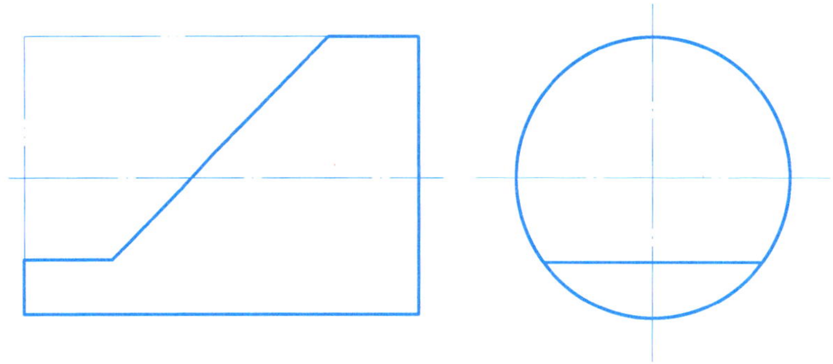

3.

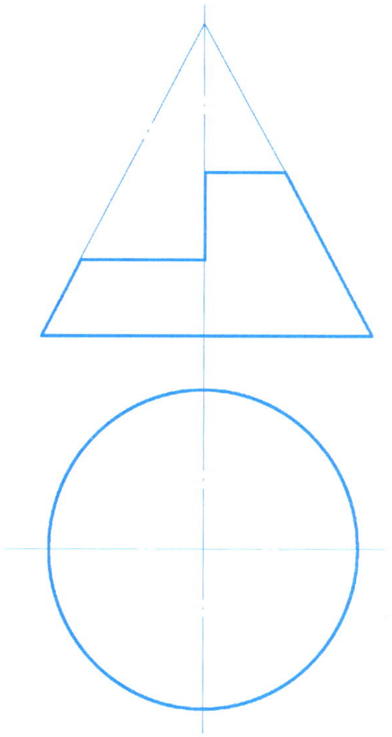

4.

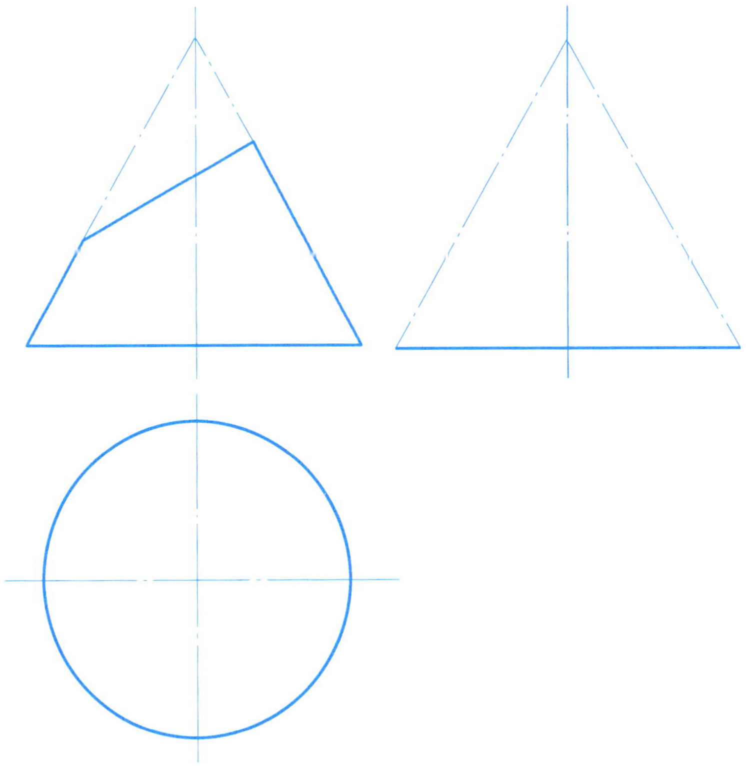

5.

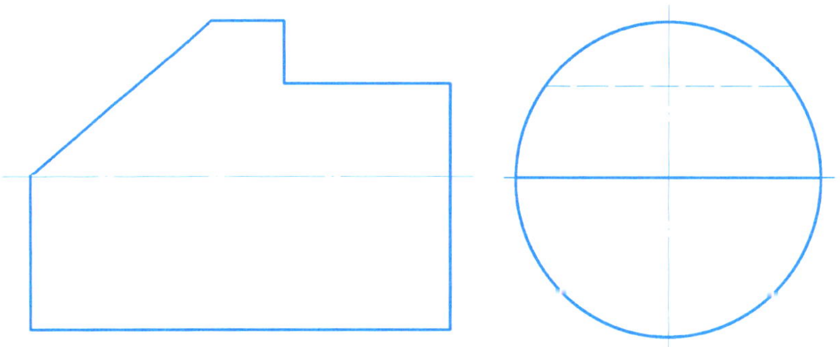

6.

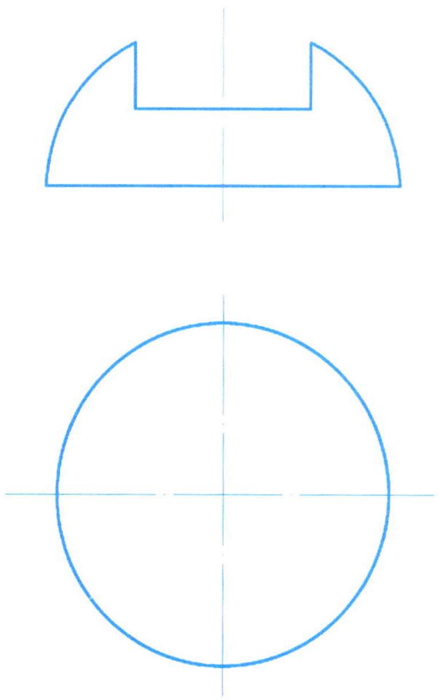

班级　　　　姓名　　　　成绩

3-4　画出平面立体和平面立体相交后的三面投影

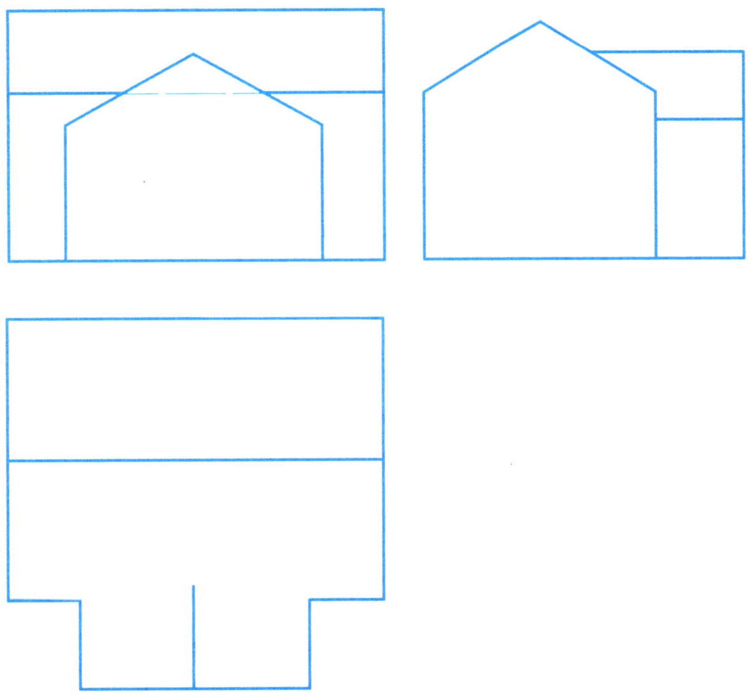

3-5　画出平面立体和平面立体相交后的三面投影

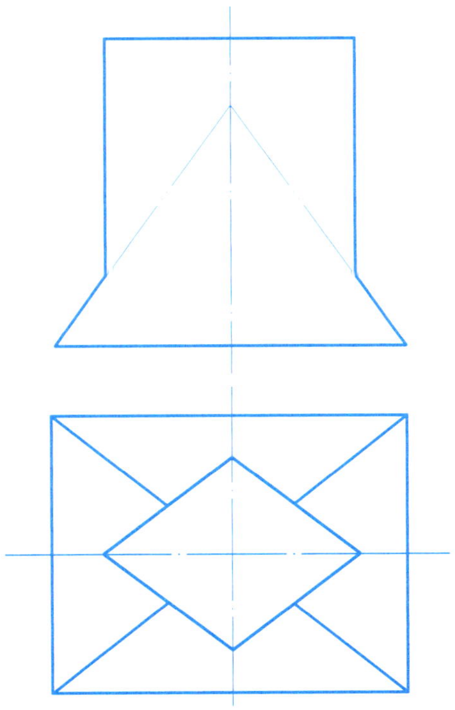

3-6　画出平面立体和平面立体相交后的两面投影

3-7　画出平面立体和平面立体相交后的两面投影

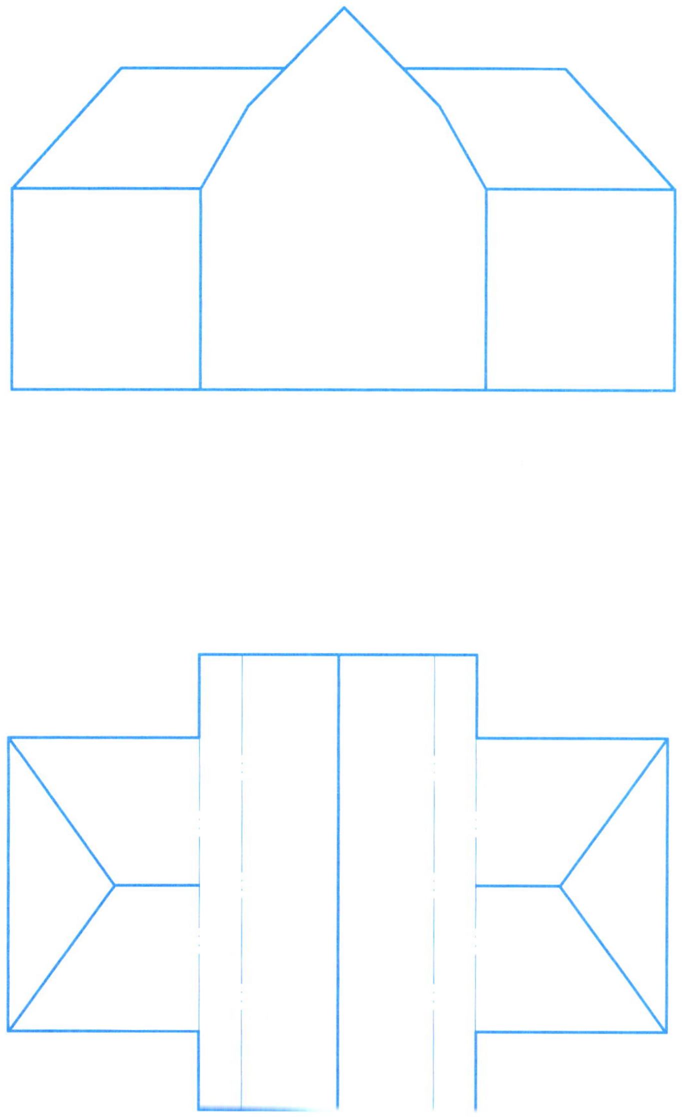

3-8　画出圆柱和四棱锥相交后的三面投影

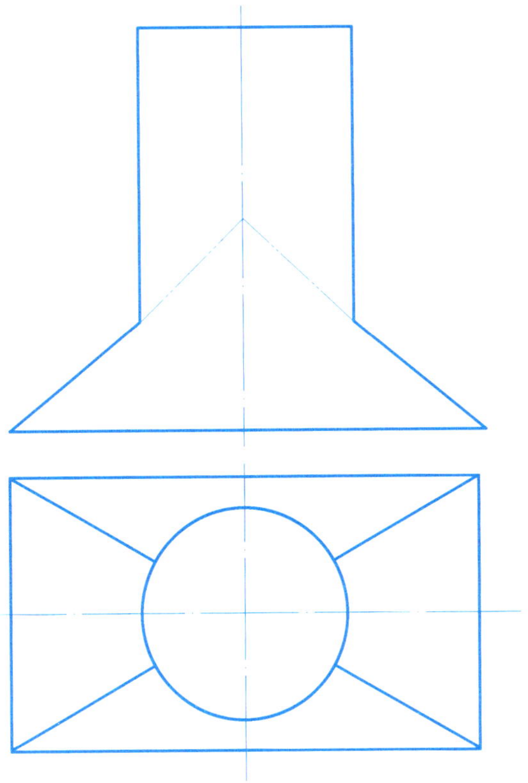

3-10　画出圆柱和四棱柱相交后的三面投影

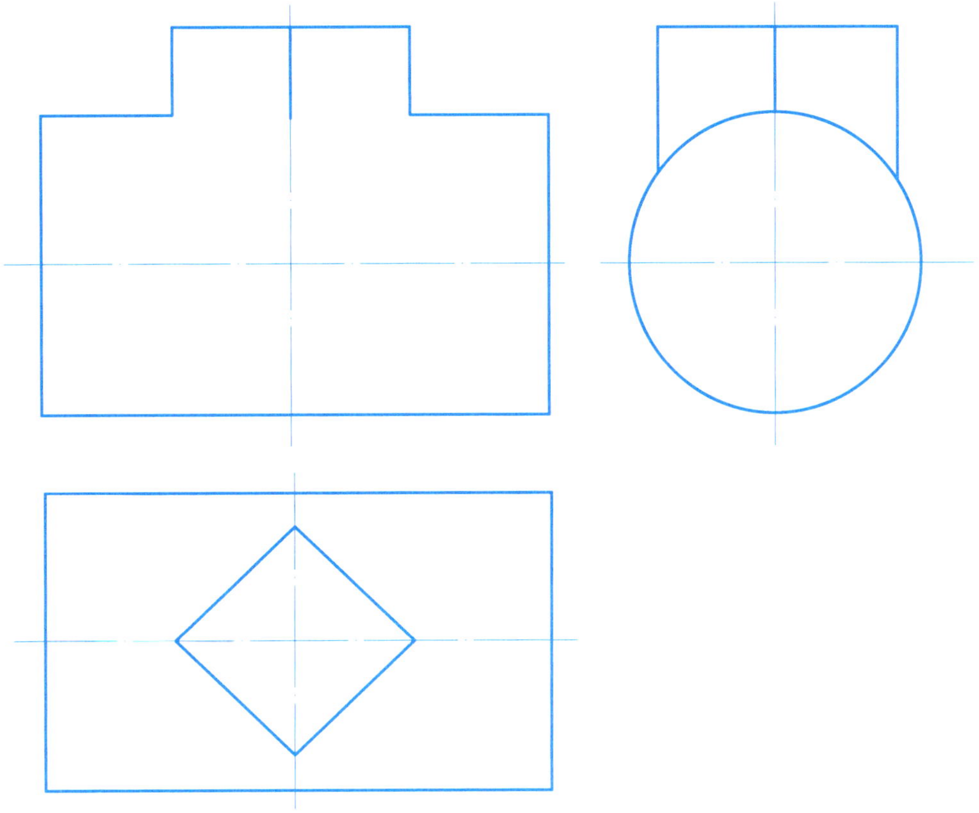

3-9　画出圆柱和四棱柱相交后的三面投影

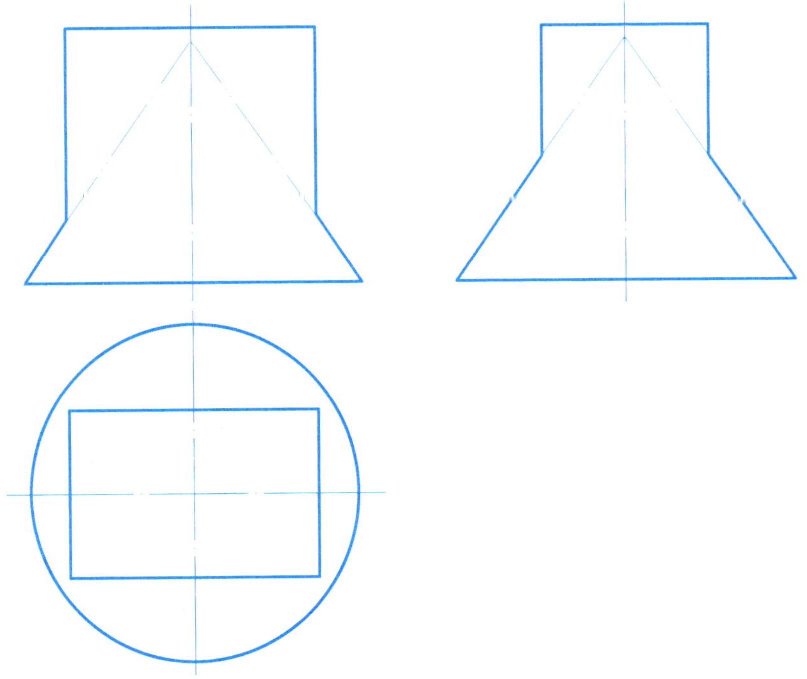

3-11　画出圆柱和四棱柱相交后的三面投影

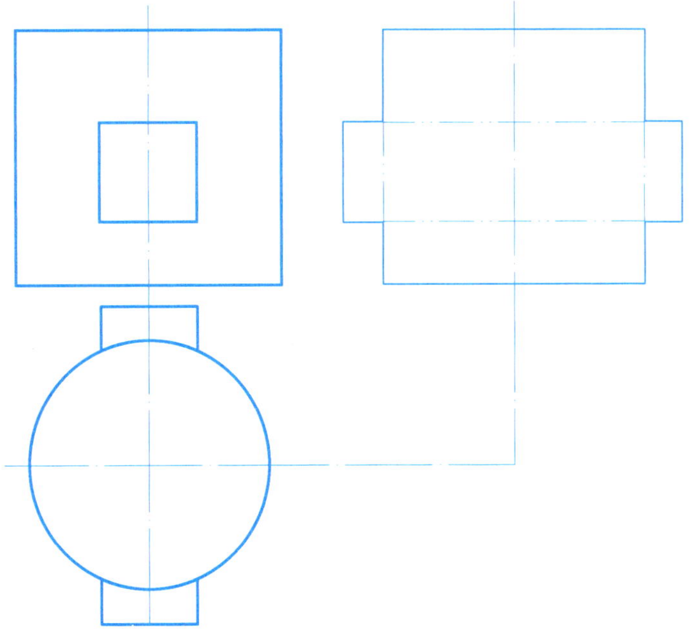

3-12 画出圆柱和半圆柱相交后的三面投影

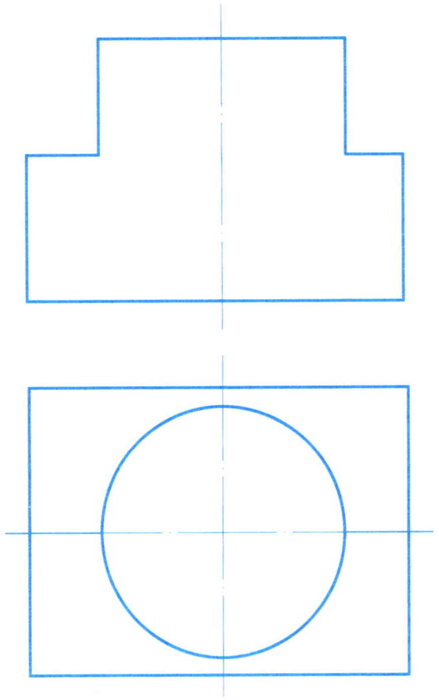

3-14 画出球体上钻圆柱孔后的三面投影

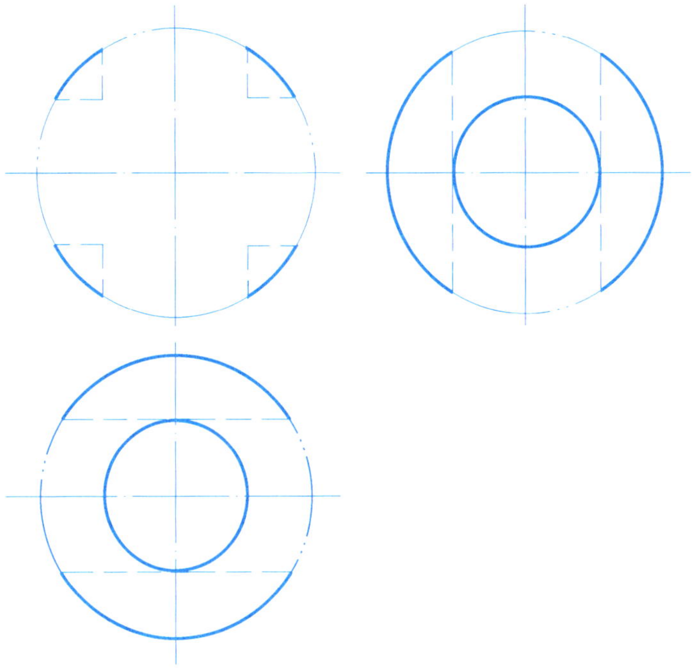

3-16 画出几个回转体叠加后的三面投影

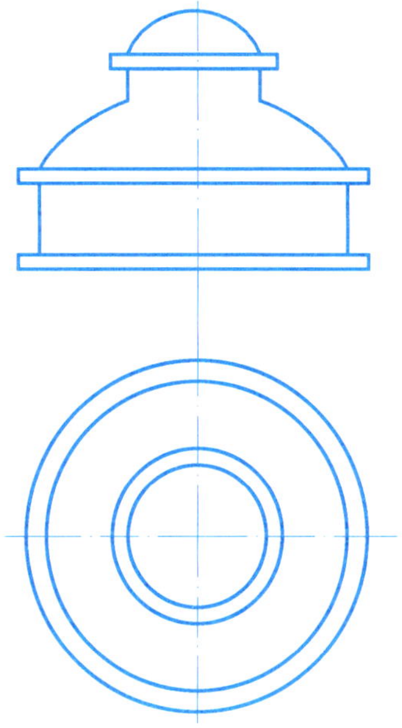

3-13 画出圆柱体上钻圆柱孔后的三面投影

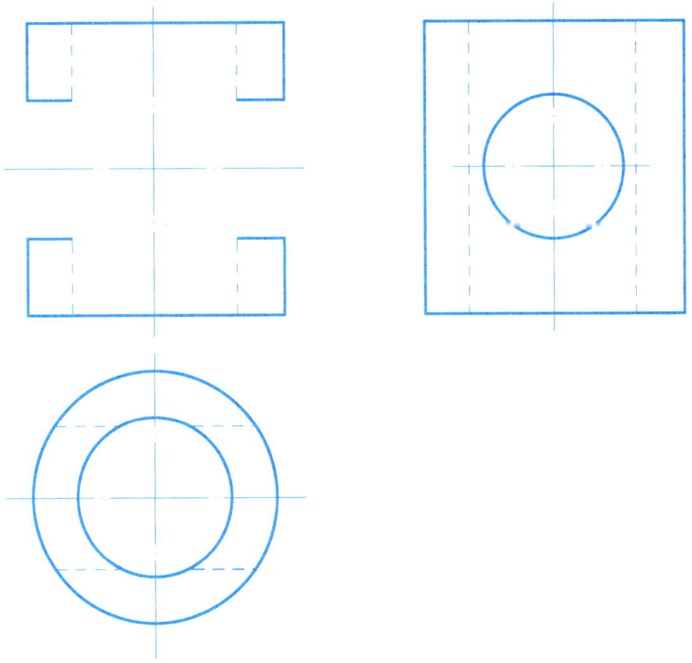

3-15 画出圆柱和圆锥叠加后的两面投影

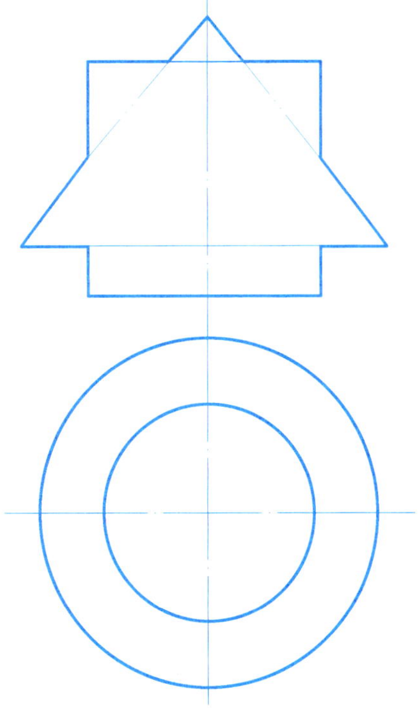

3-17 画出两个半圆柱相交后的三面投影

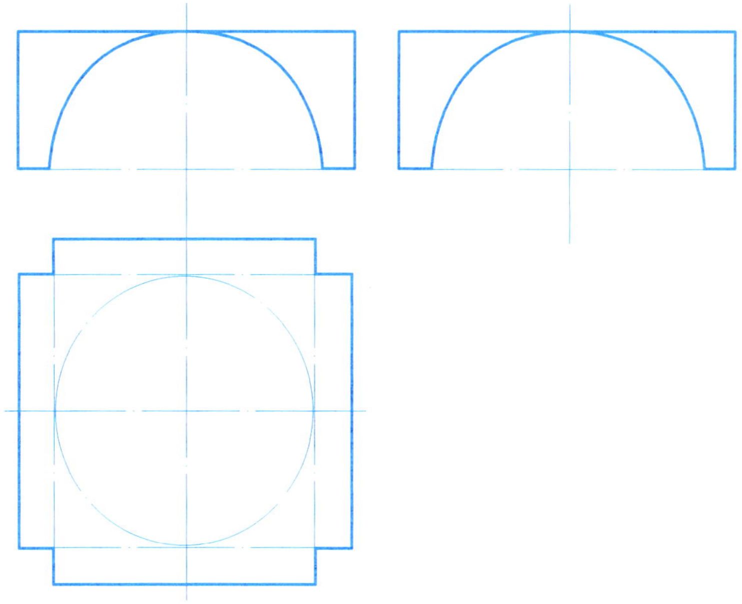

4-1　根据立体的轴测图画出三面投影图

1.

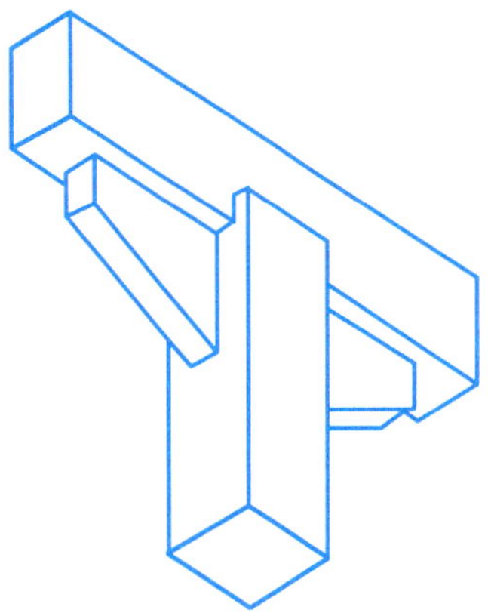

3.

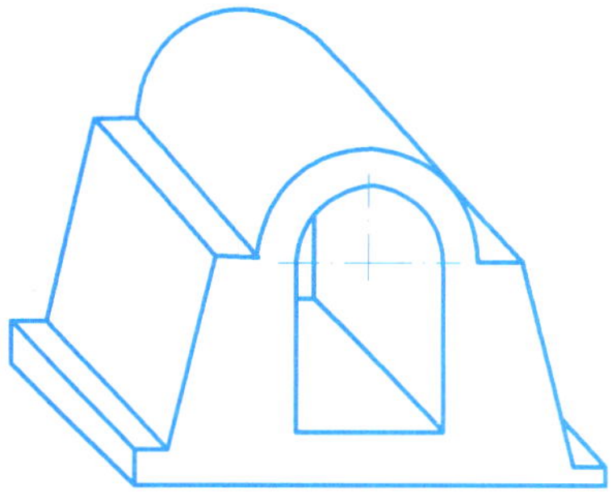

2.

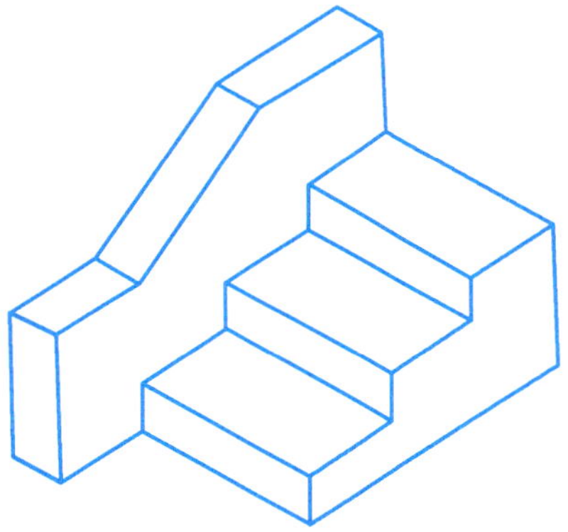

4.

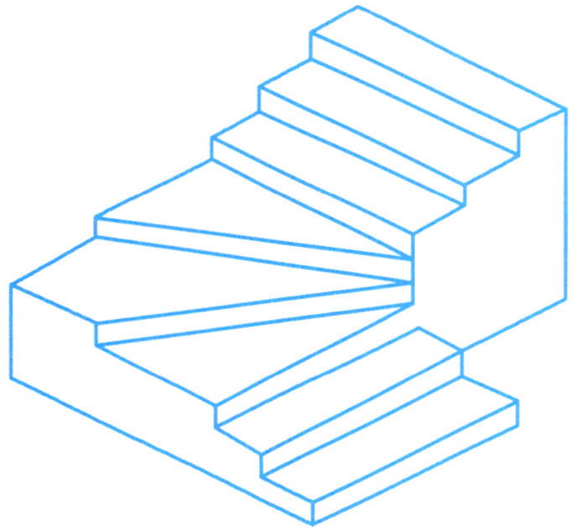

4-2　根据立体的轴测图及两面投影图画出第三面投影图

1.

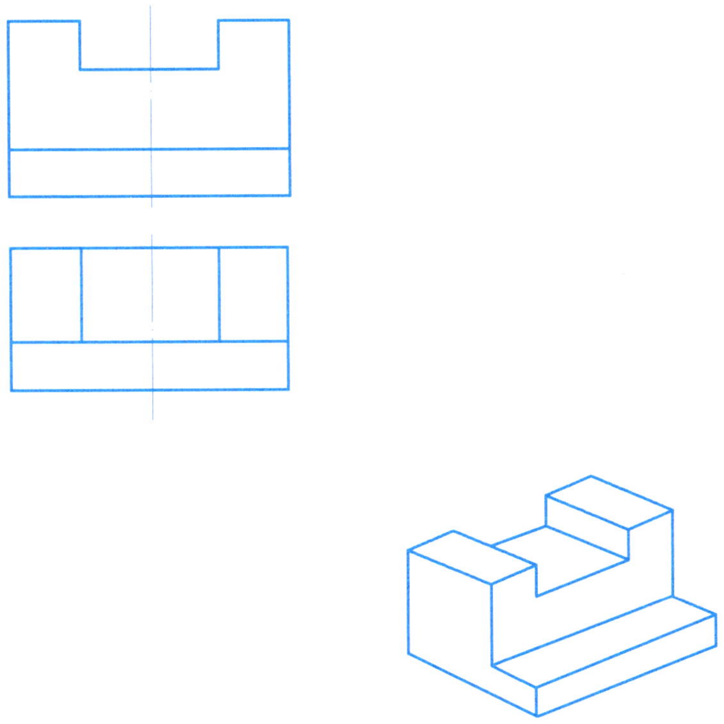

2.

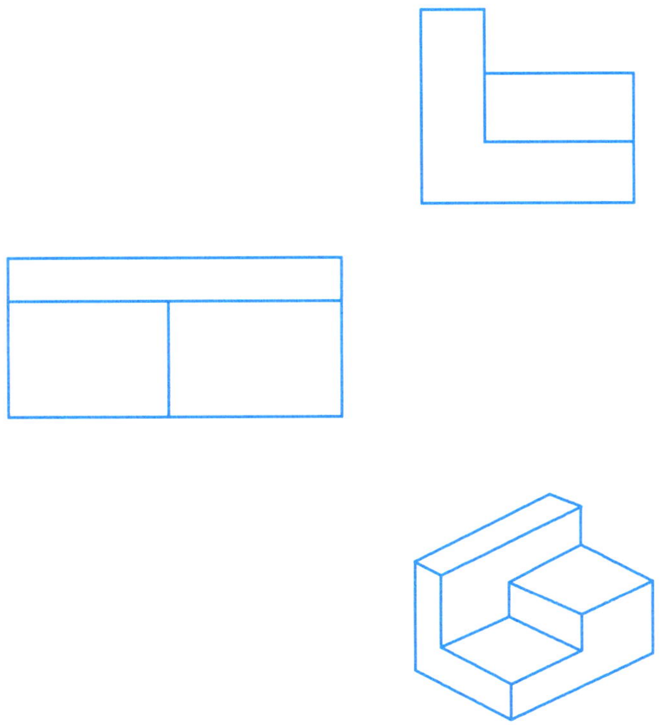

3.

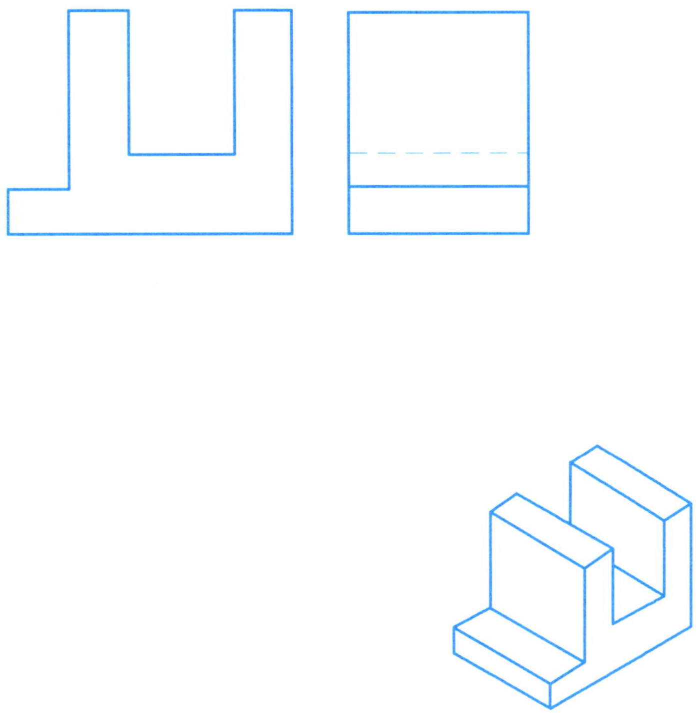

4.

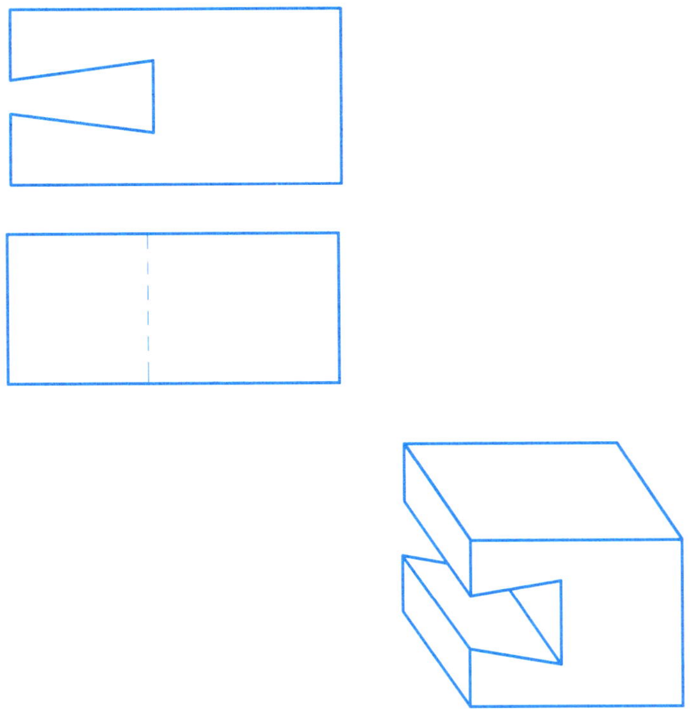

5.

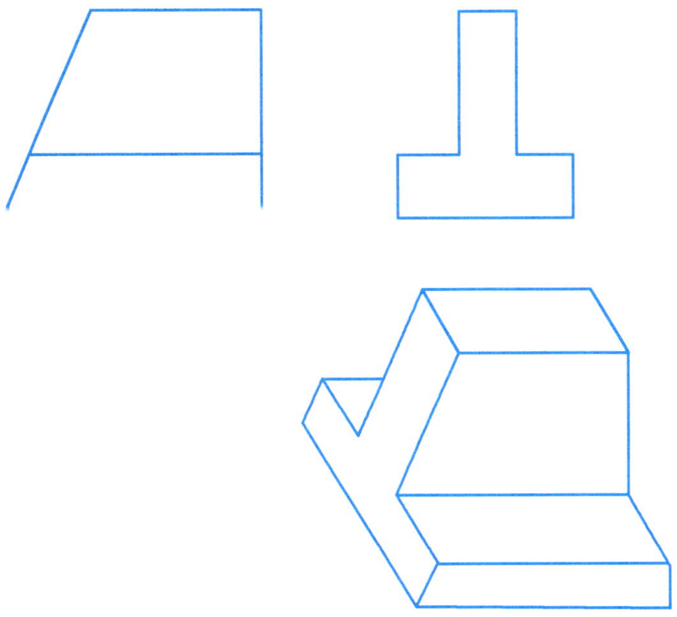

6.

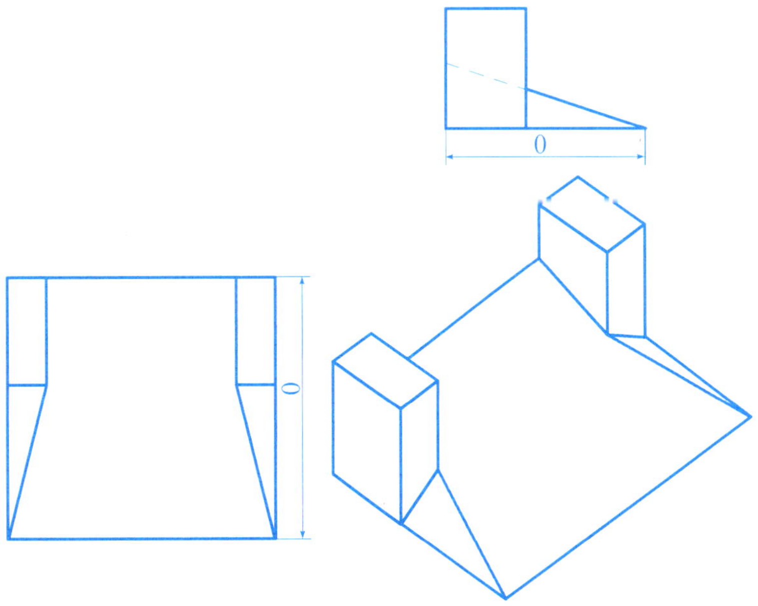

　　班级　　姓名　　成绩

4-3　根据轴测图画出三面投影图

作业指导

第三次作业：

一、目的

要求学生熟悉组合体的画图方法及尺寸标注。

二、要求

1. 图名：组合体；
2. 图纸：A3 号图幅；
3. 比例：2∶1；
4. 图线：要求粗、中、细各线宽度分明；
5. 字体：图名和校名用 10 号仿宋体字，其余用 7 号仿宋体字，先画出长方框，后填写文字。

三、绘图步骤

1. 画出对称线、中心线，用点画线表示；
2. 用 2H 或 H 笔画底稿；
3. 检查，用 B 笔加深底稿；
4. 标注尺寸。

四、完成内容

1. 方柱；
2. 矩形柱；
3. 台阶。

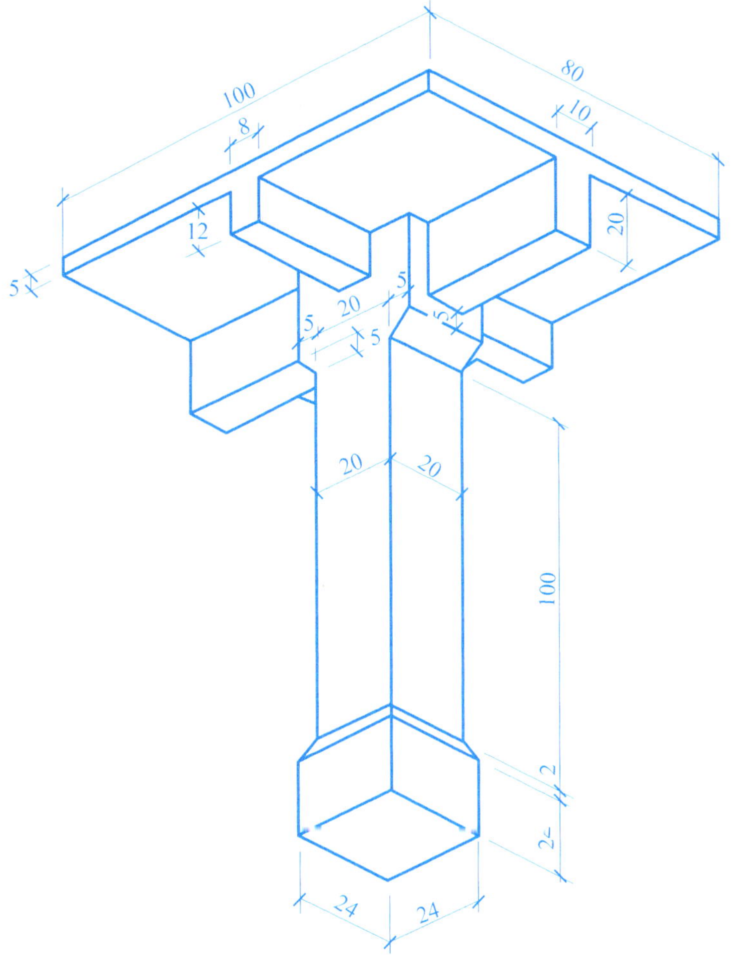

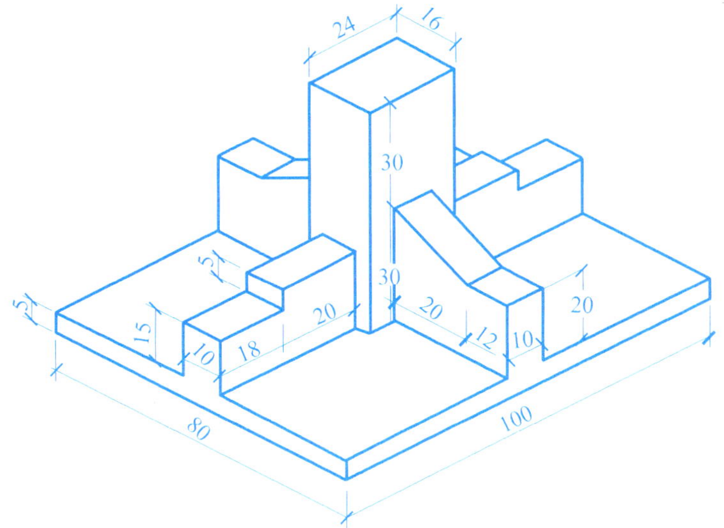

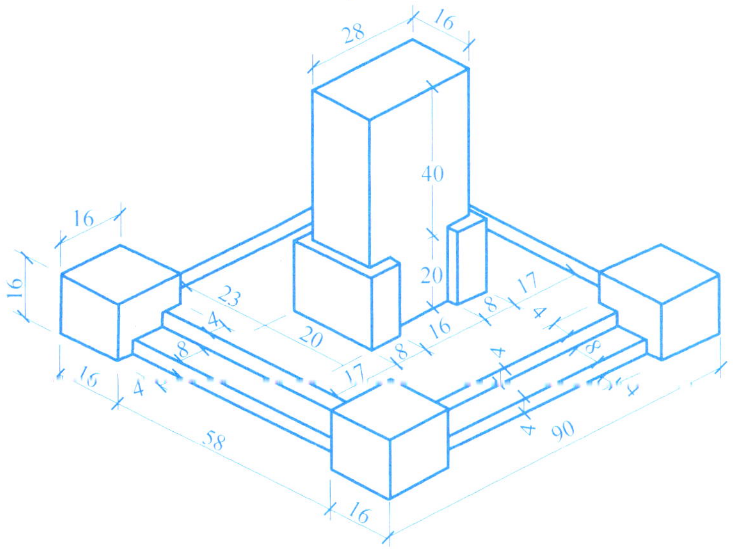

4-4　根据两面投影图画出第三面投影图

1.

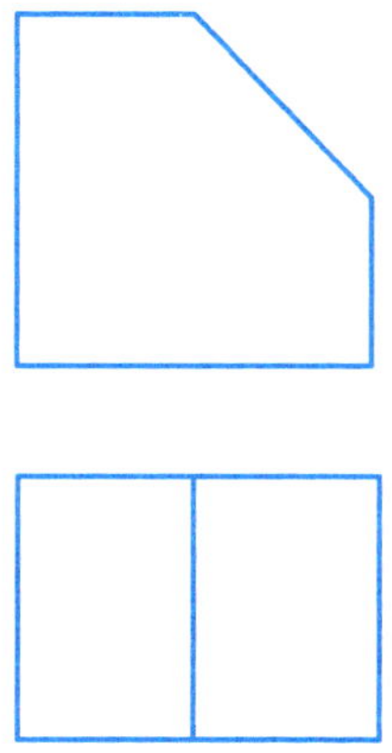

2.

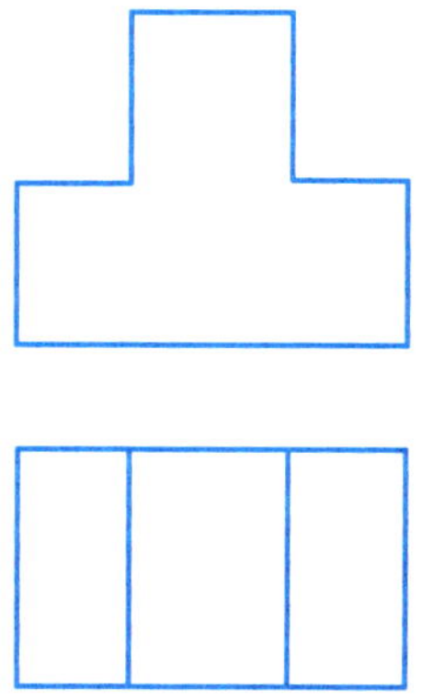

3.

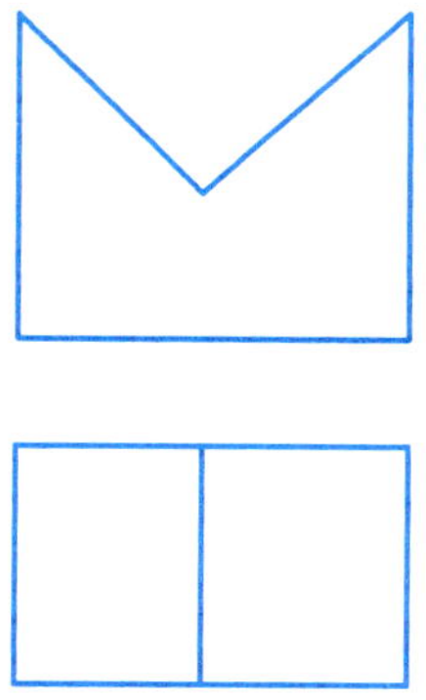

4.

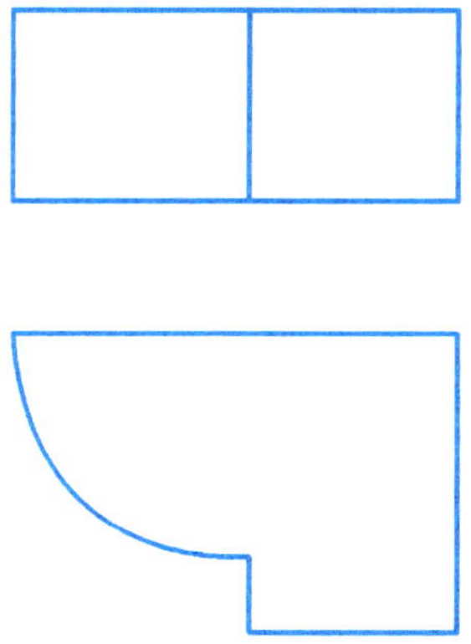

5.

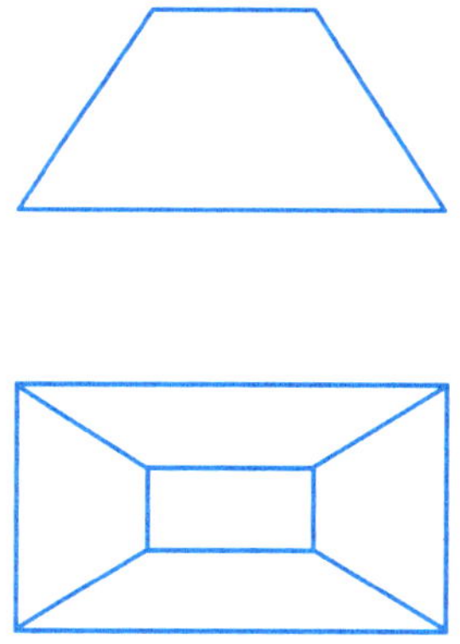

6.

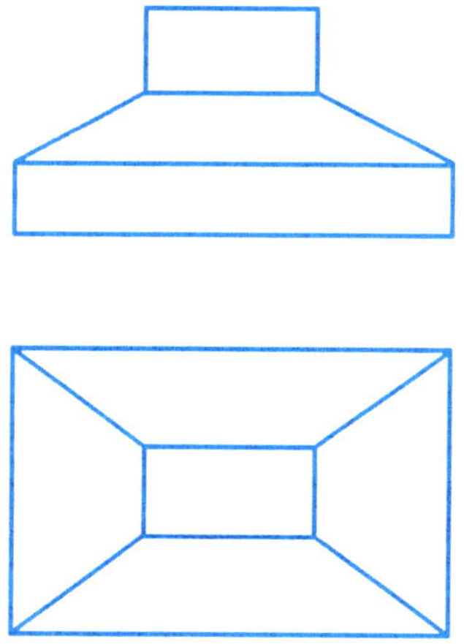

7.

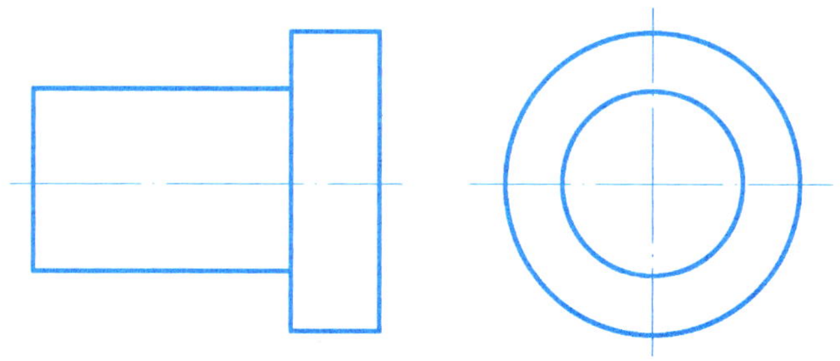

8.

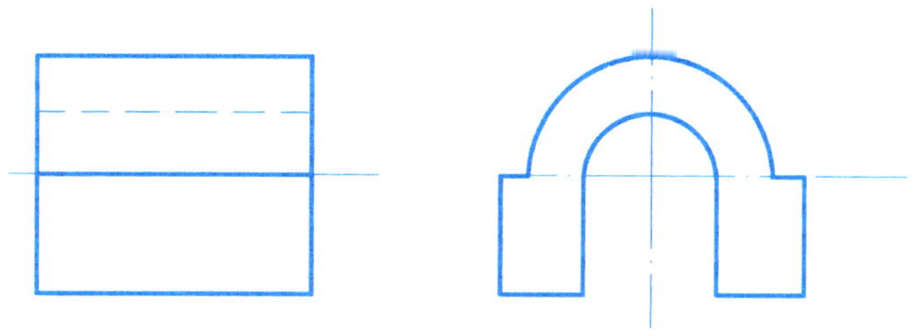

9.

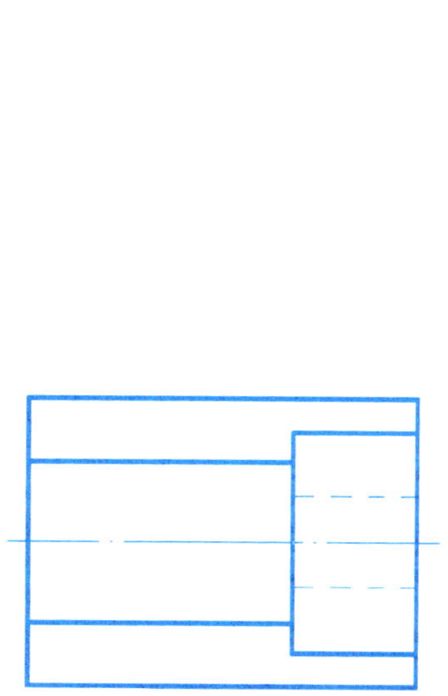

4-5　根据两面投影图画出第三面投影图

1.

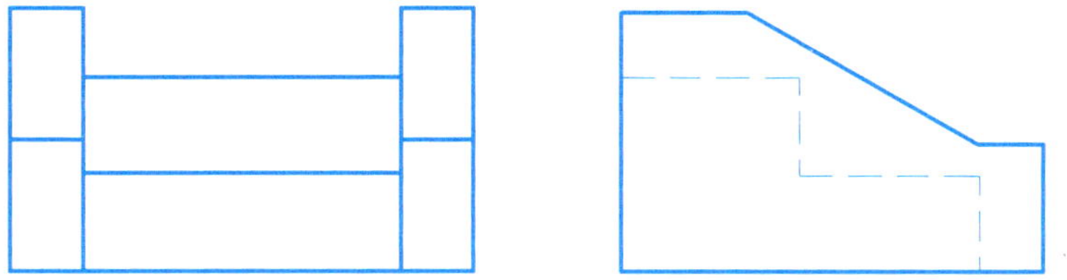

2.

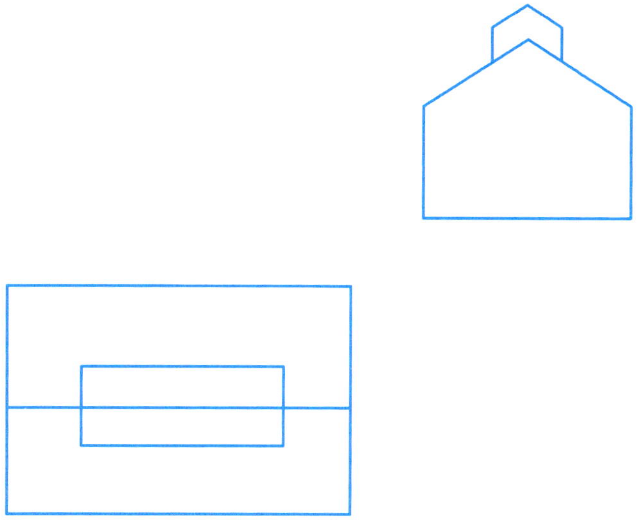

3.

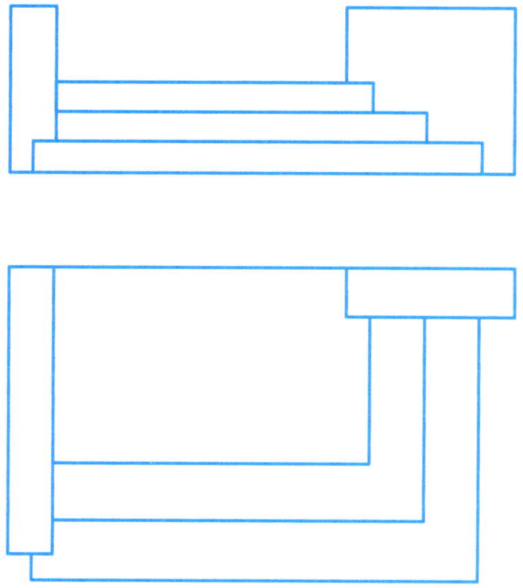

4.

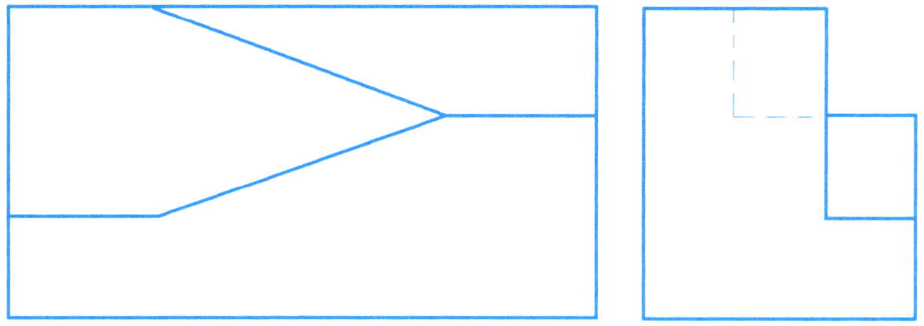

5.

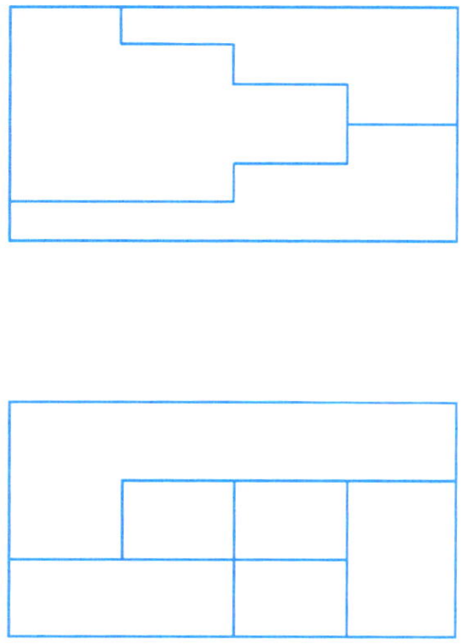

6.

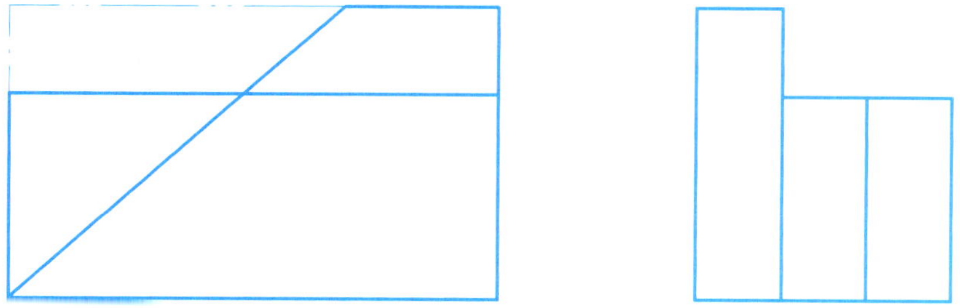

4-6　根据已知条件，补画全三面投影图。

1.

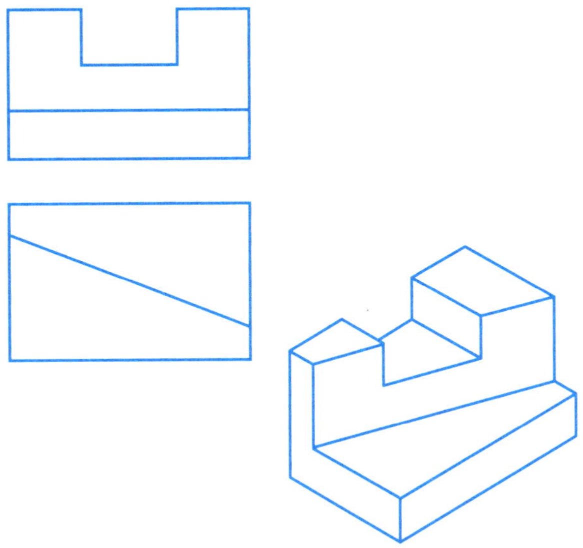

2.

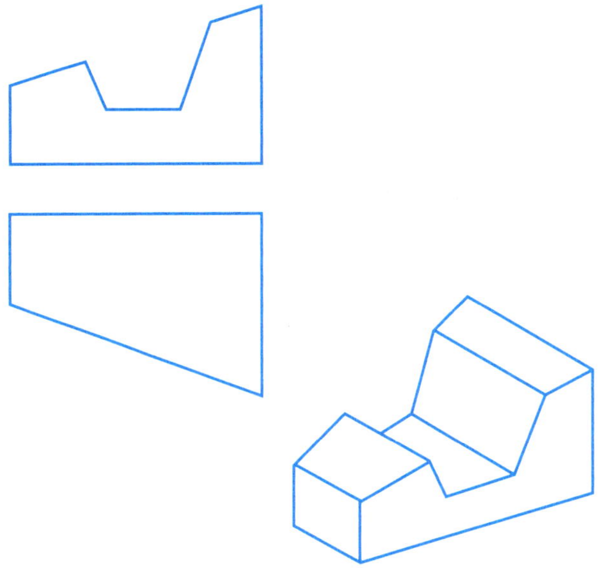

3.

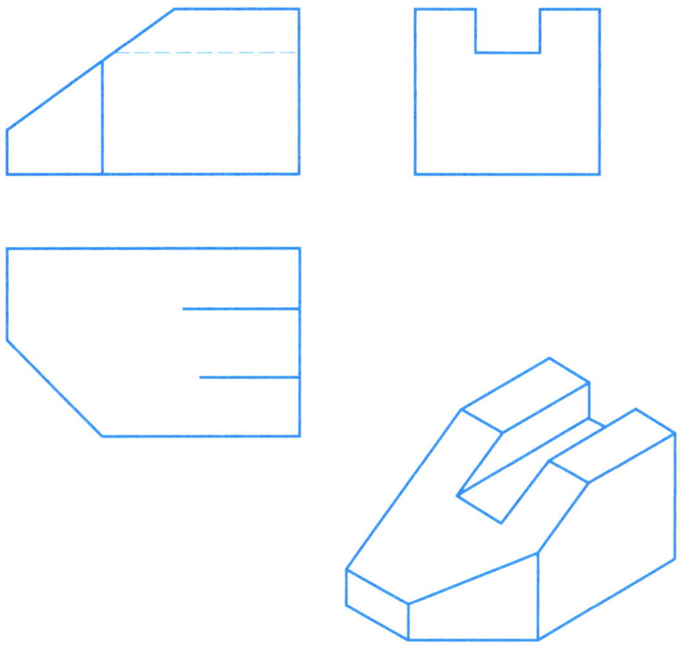

4.

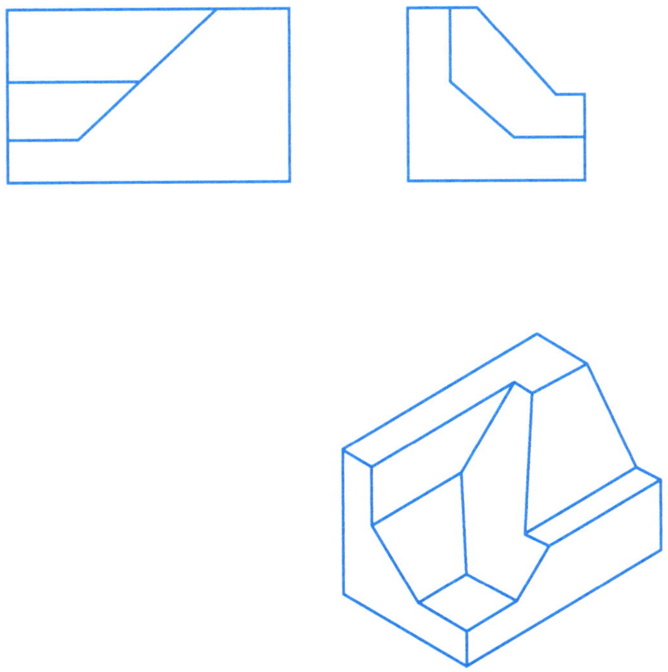

5.

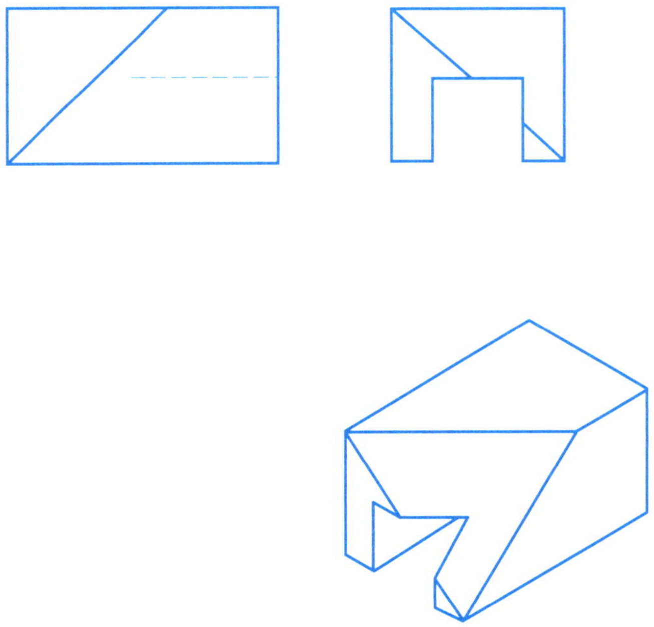

6.

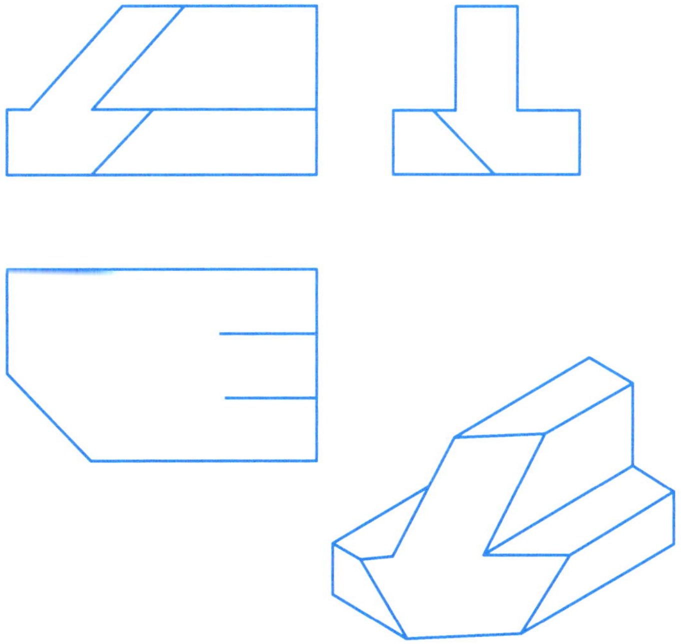

4-7　根据已知条件，补画第三面投影图。

1.

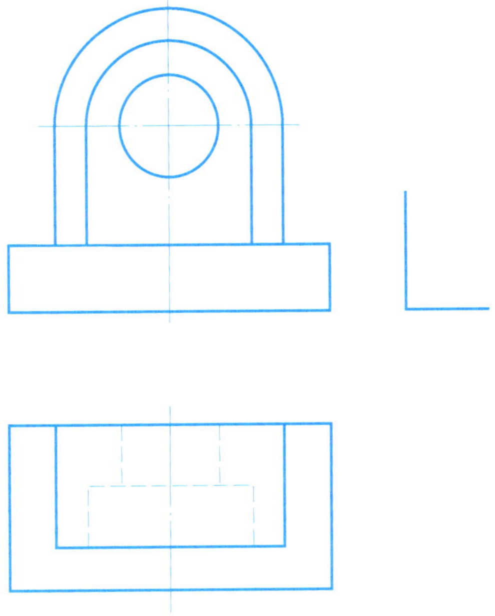

2.

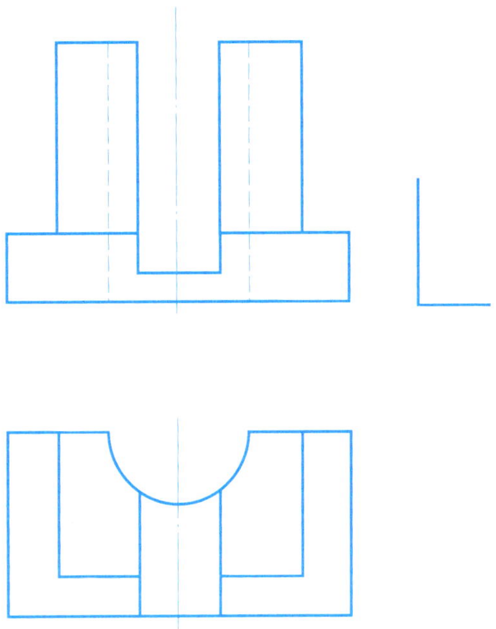

3.

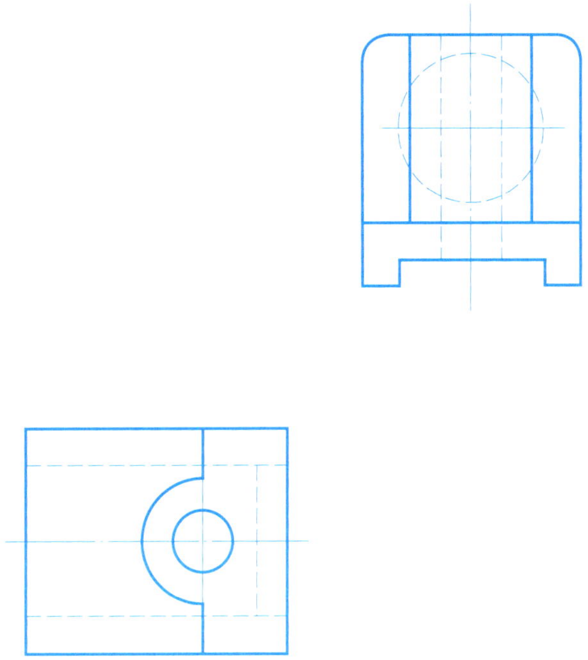

4.

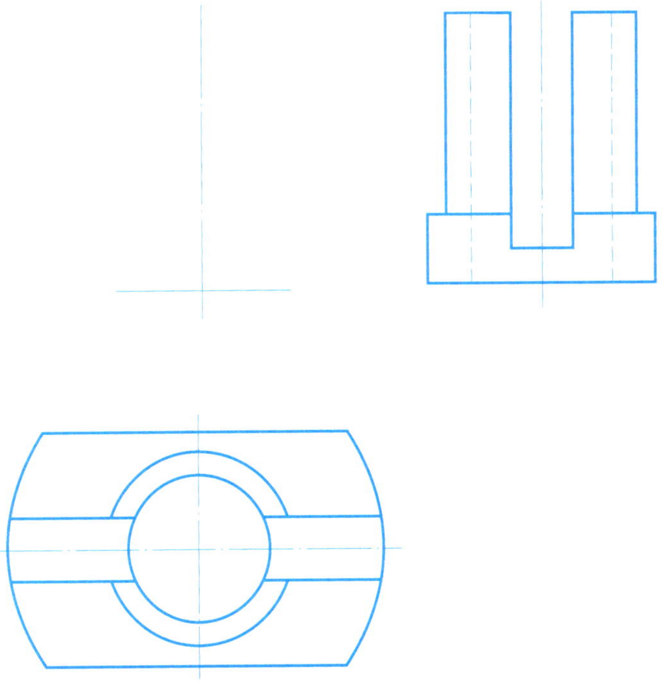

5.

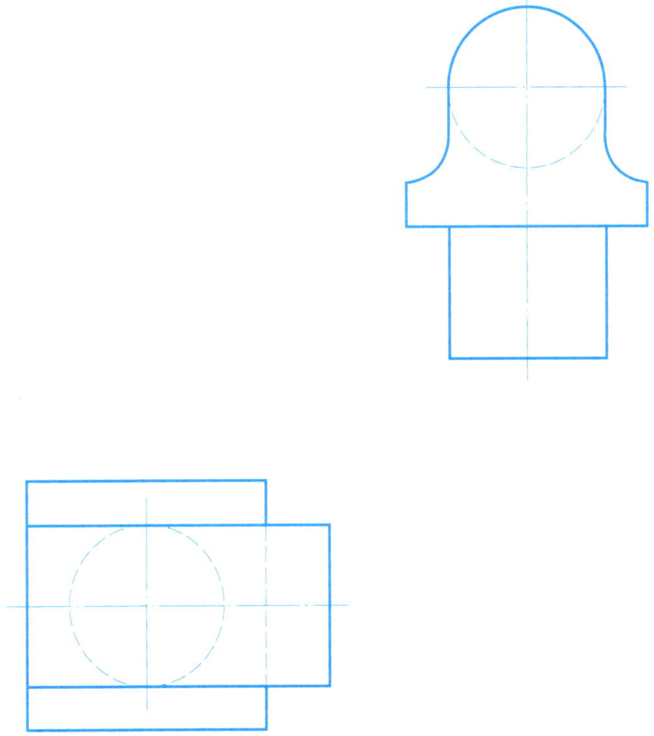

6.

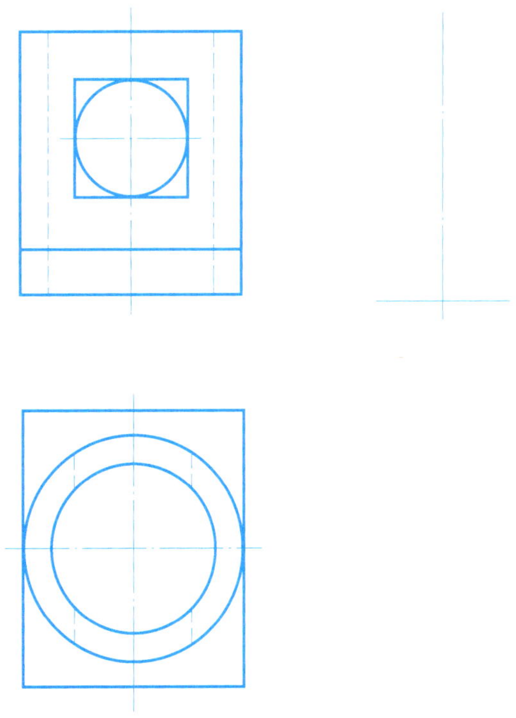

5-1　画建筑形体的正等轴测图

1.

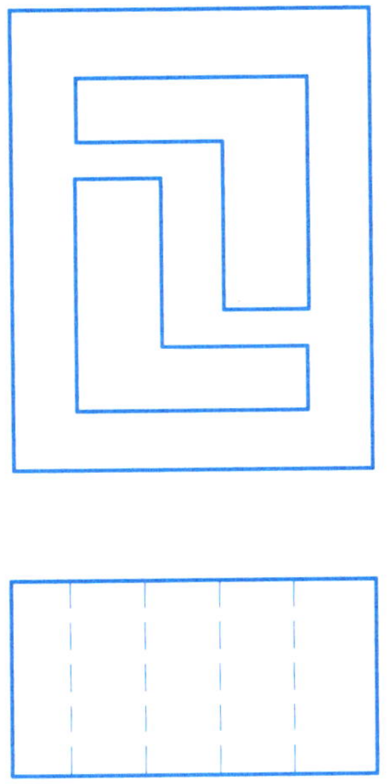

2.

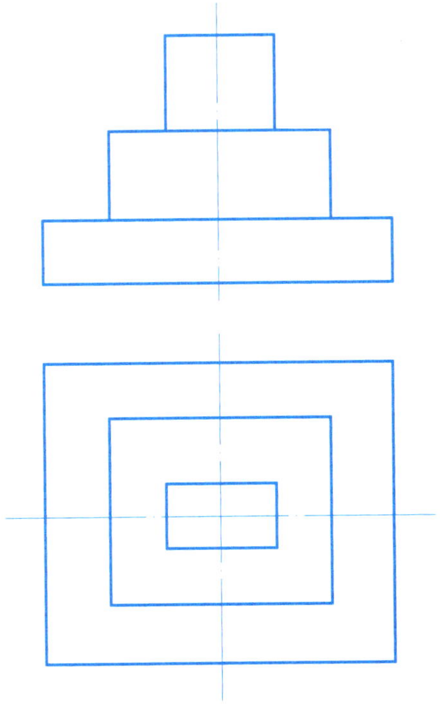

3.

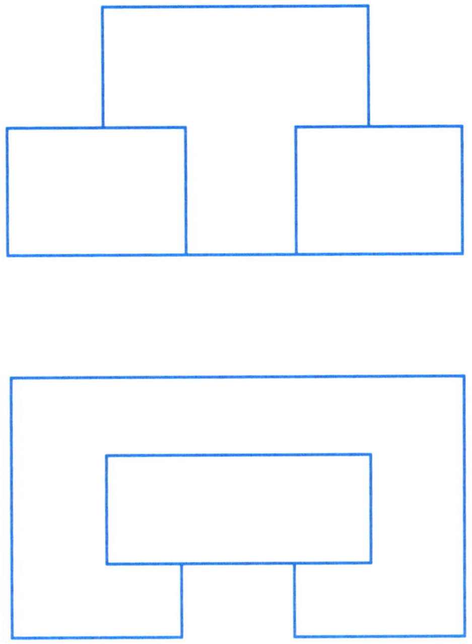

4.

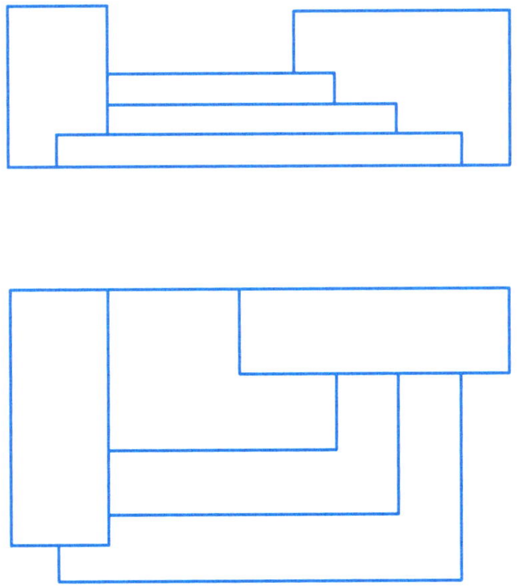

5-2　画建筑形体的正面斜二轴测图

1.

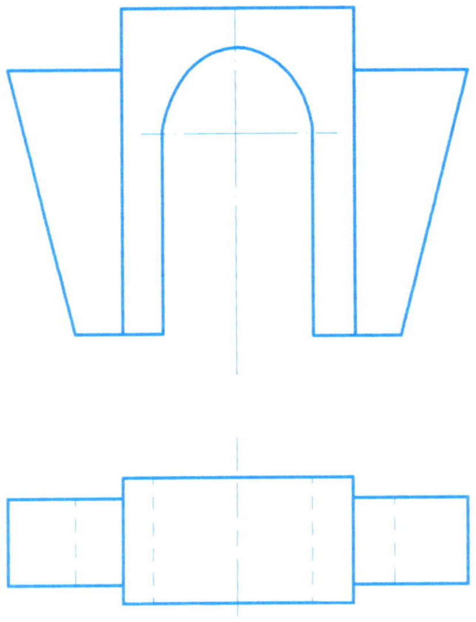

2.

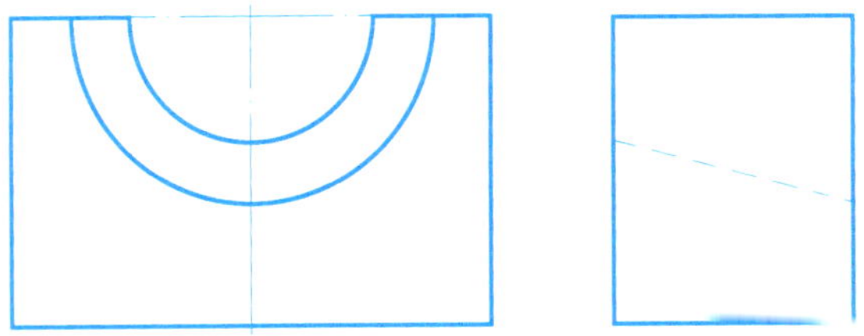

5-3　画建筑形体的水平面斜等轴测图

1.

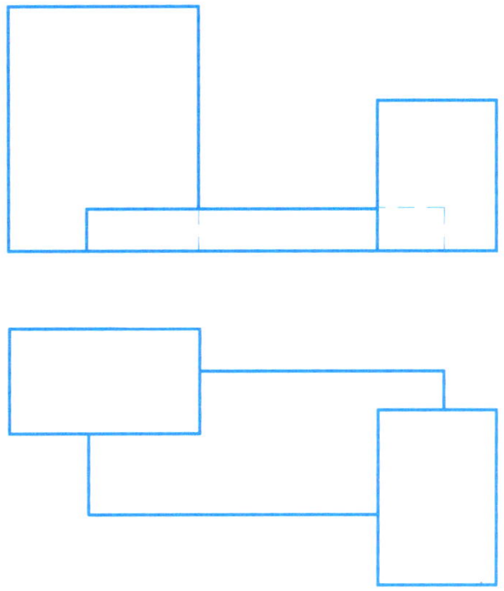

2.

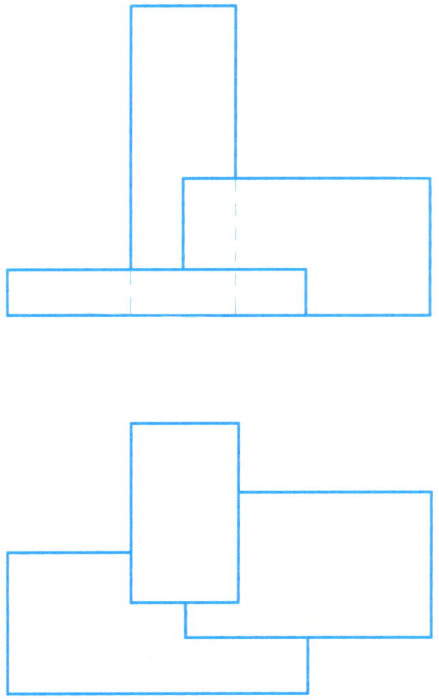

5-4　画建筑形体的正面斜二轴测图

作业指导

第四次作业

一、目的

要求学生初步掌握正等测和正面斜二测的画法。

二、要求

1. 图名：轴测图；
2. 图纸：A3 号图幅；
3. 比例：按 1∶1 图中量取尺寸；
4. 图线：要求粗、中、细各线宽度分明；
5. 字体：图名和校名用 10 号仿宋体字。
   其余用 7 号仿宋体字，先画出长方框，后添写文字。

三、绘图步骤

1. 根据轴间角画出轴测轴；
2. 用 2H 或 H 笔画底稿；
3. 检查，用 B 笔加深底稿。

四、完成内容

1. 房屋模型；
2. 休息厅模型。

1. 房屋模型

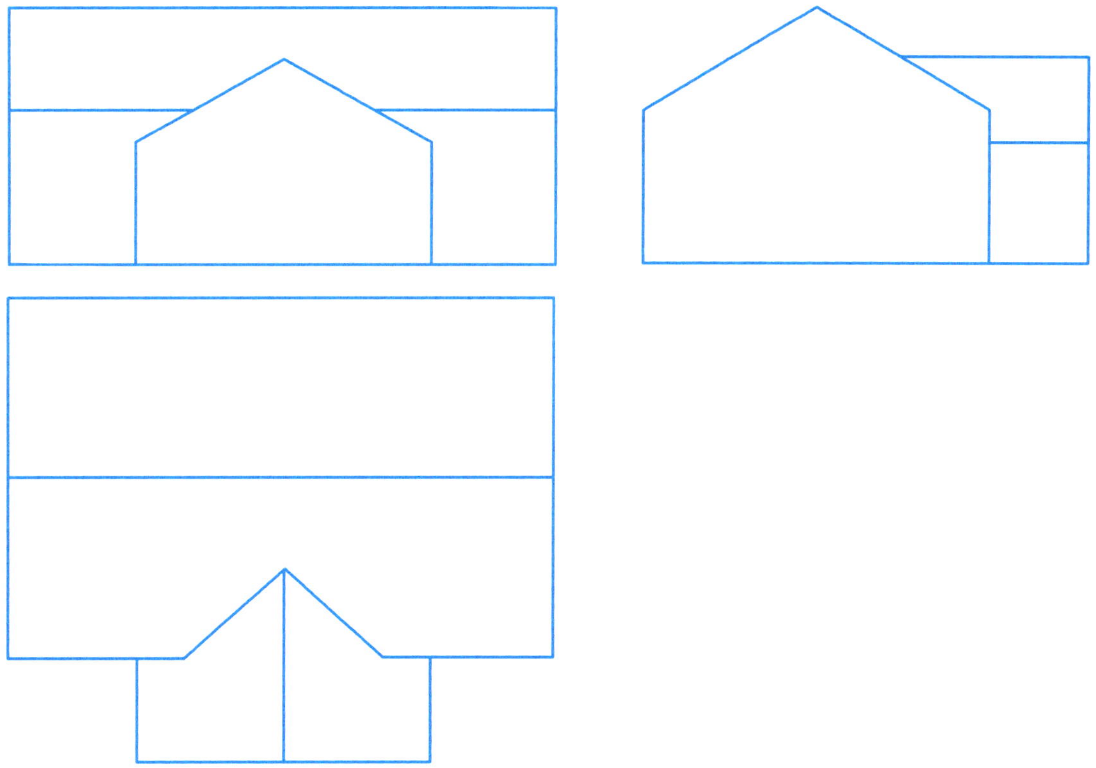

2. 休息厅模型

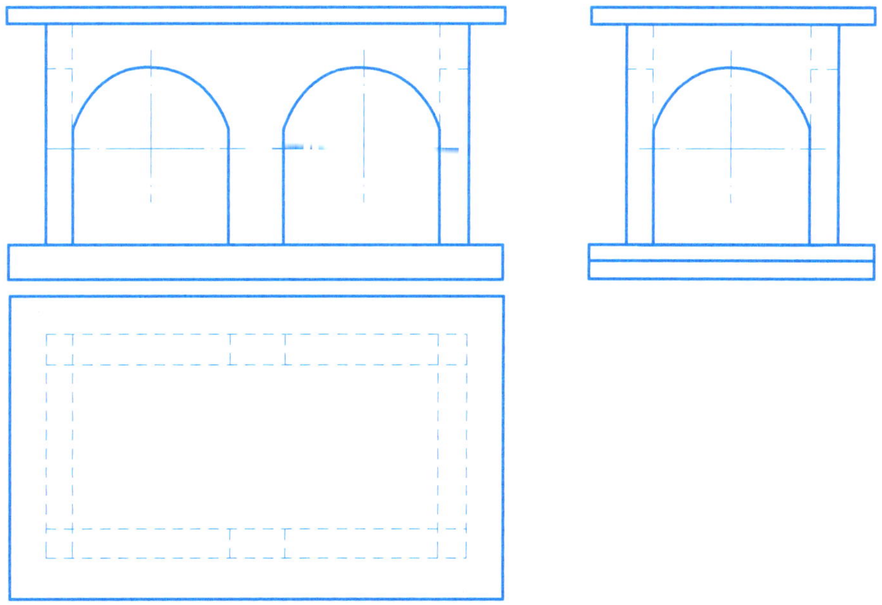

6-1　画出右侧立面图。

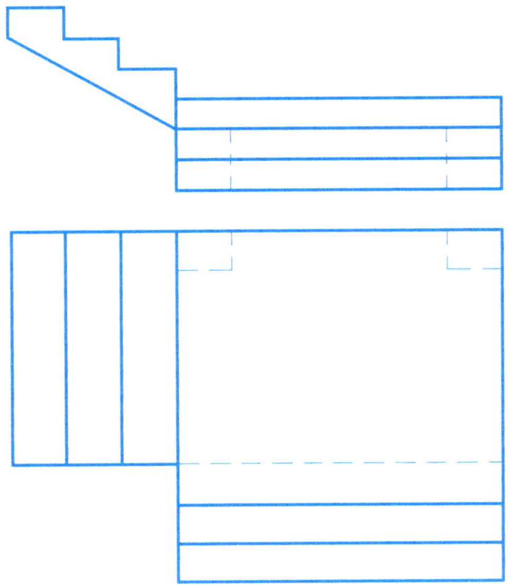

6-2　画出背立面图和右侧立面图。

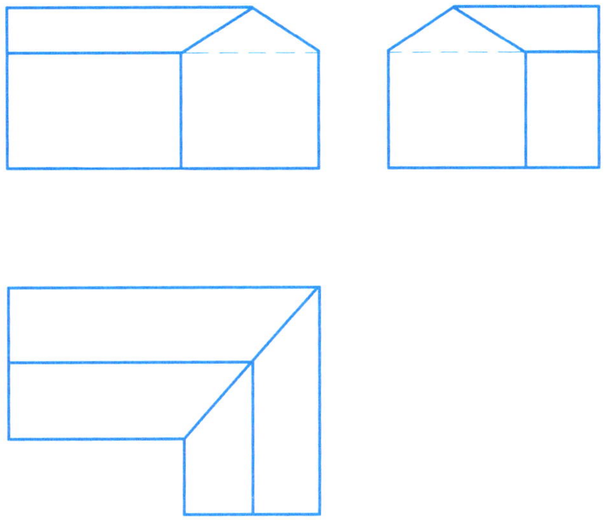

6-3　画出背立面图和右侧立面图。

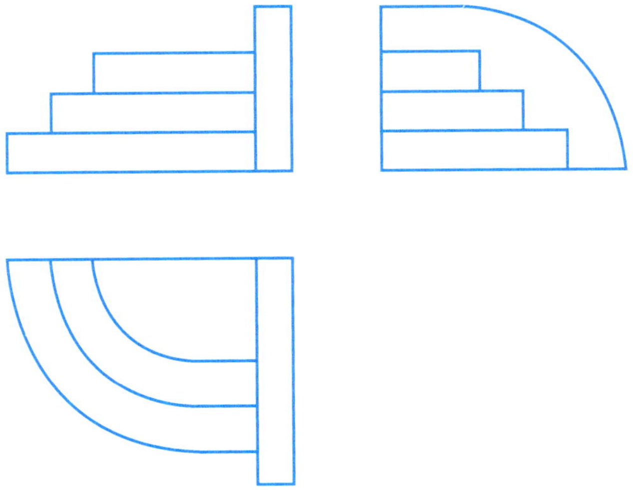

6-4　画出左侧立面图。

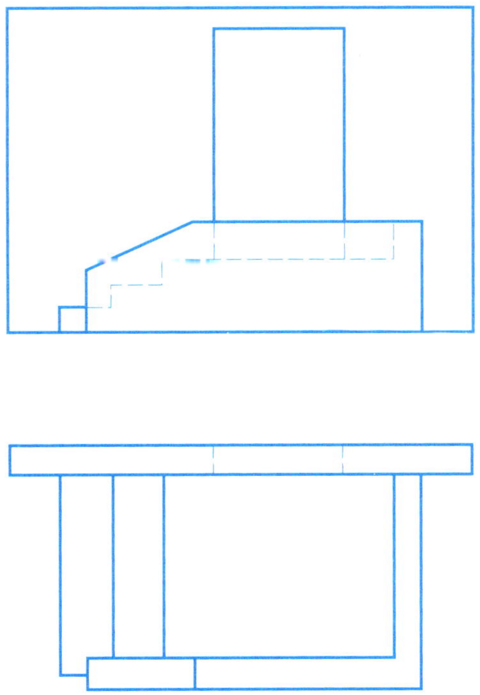

班级　　　　姓名　　　　成绩

6-5　在指定位置画出下列花饰的 1—1 剖面、2—2 剖面图、3—3 剖面图、4—4 剖面图。

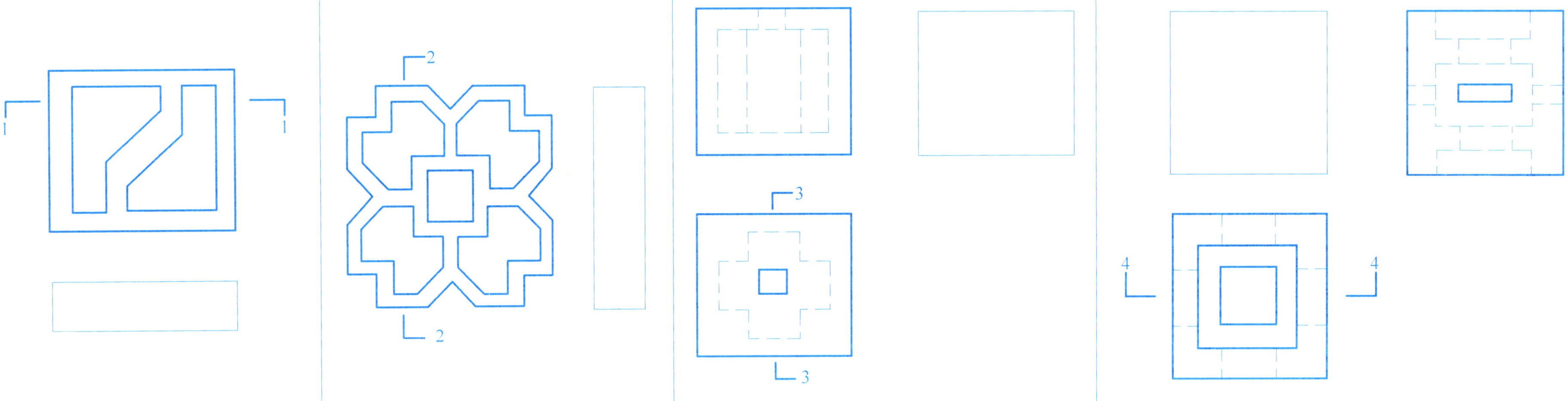

6-6　补绘左侧立面图，并将左侧立面图改画成半剖面图。

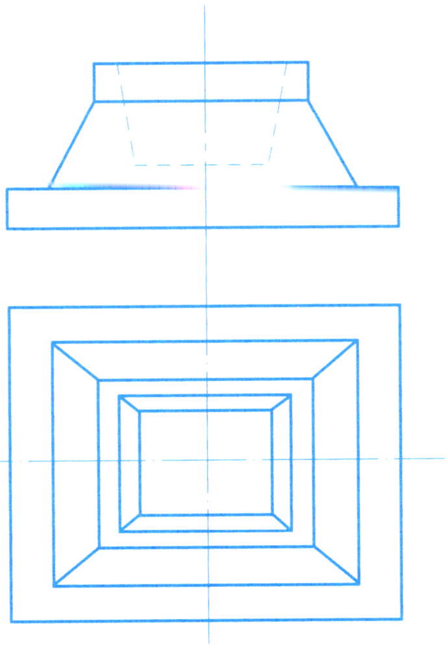

6-7　画出建筑形体的 1—1 全剖面图和 2—2 半剖面图。

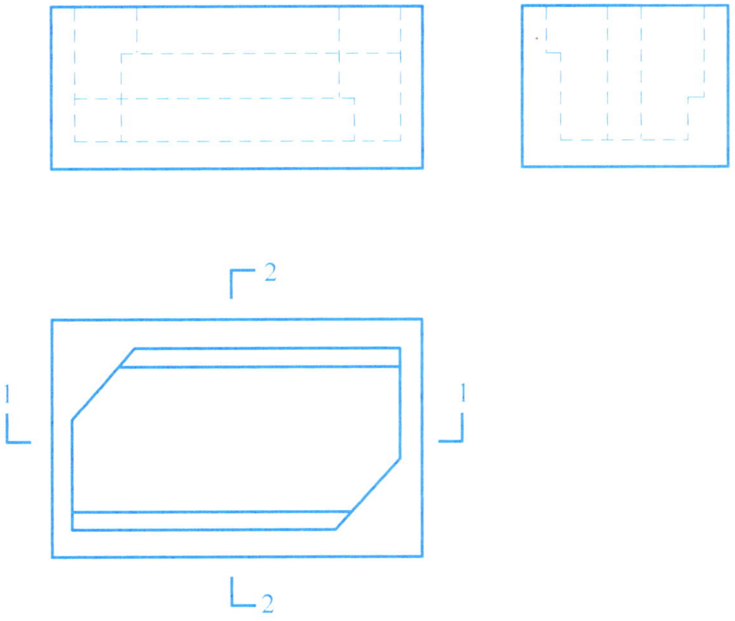

6-8　画出 1—1 剖面图

1—1剖面图

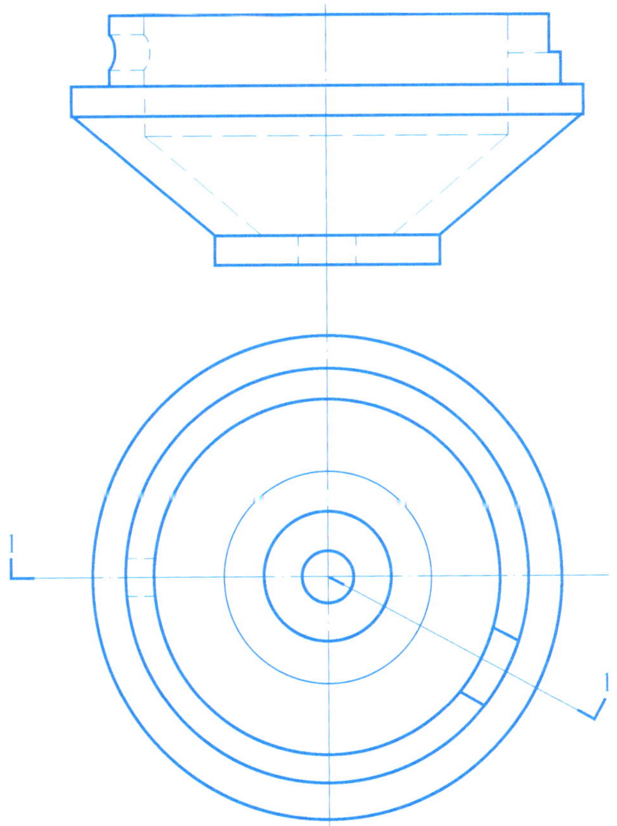

6-9　画出 1—1 剖面图

1—1剖面图

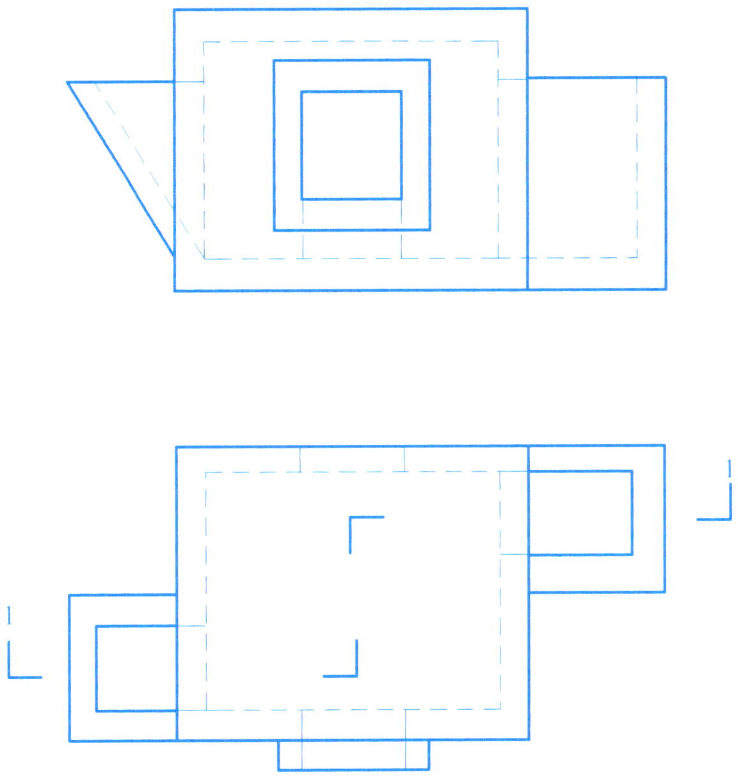

6-10　画出 1—1 、2—2 、3—3 断面图

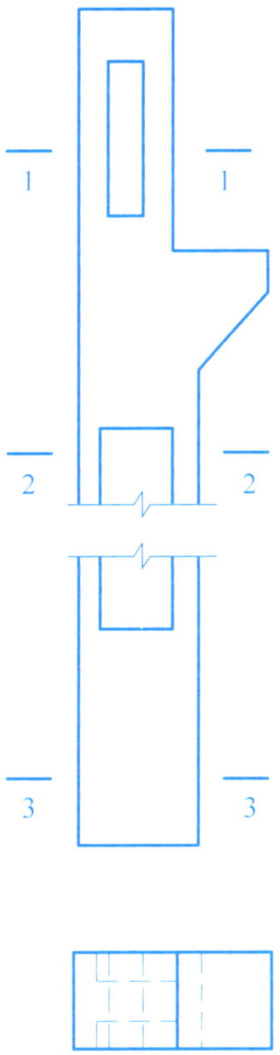

1—1断面图

2—2断面图

3—3断面图

6-11 画出 1—1、2—2 断面图

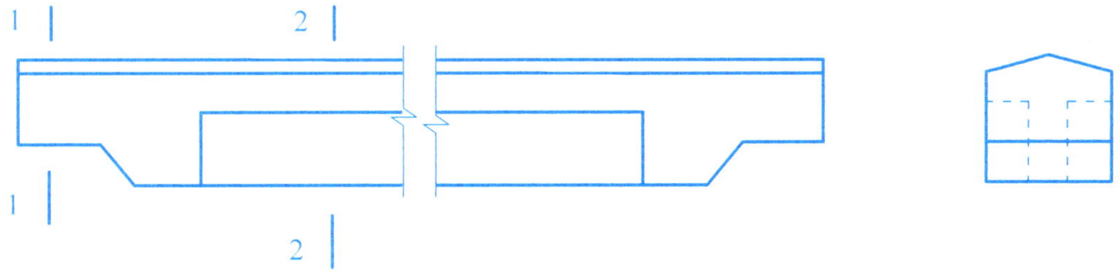

6-13 已知正立面图和 2—2 剖面，雨篷伸出外墙宽度与最上一级台阶相同，绘出 1-1 剖面

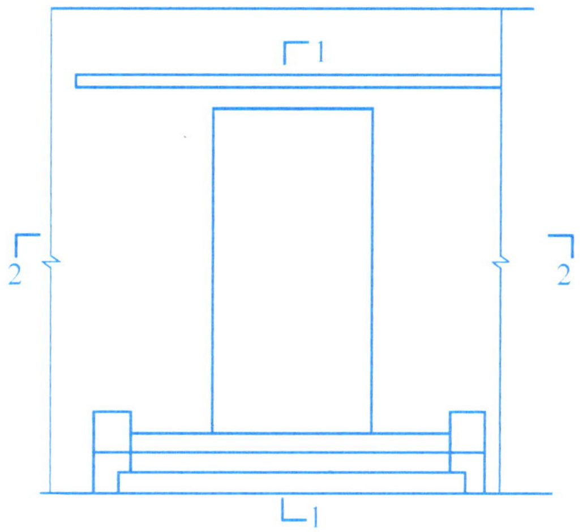

2—2剖面

6-12 画出 3—3、4—4 断面图

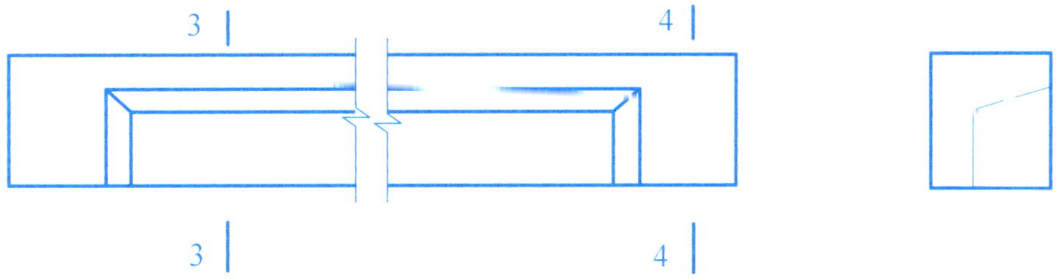

6-14 已知正立面图和 1—1 剖面，屋面四周挑檐相同，绘出 2—2 剖面。

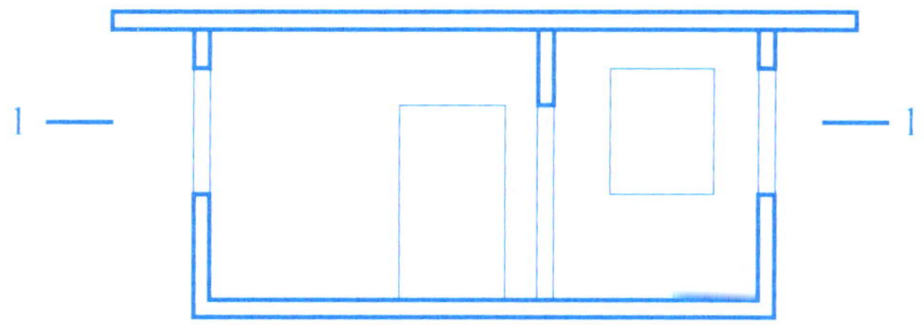

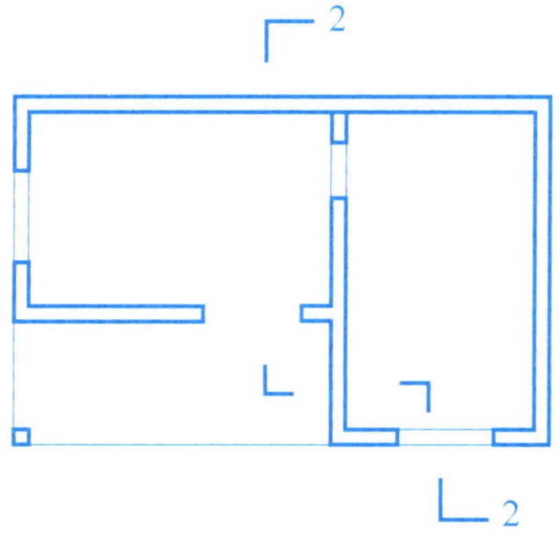

1—1剖面

7-1　填空

1. 各种房屋，虽然在使用要求、外部造型、内部布局、结构形式以及细部构造上各不相同，但是基本上是由____________________________主要组成。
2. 一套房屋施工图是由建筑、结构、设备（给水排水、采暖通风、电气）等专业共同配合协调，在技术设计的基础上绘制而成的。房屋施工图分为________施工图、________施工图和________施工图。
3. 建筑总平面图是将拟建工程四周一定范围内的新建、拟建、原有和拆除的建筑物、构筑物连同其周围的地形地物状况，用________方法和相应的________所画出的图样。它表明新建房屋的平面轮廓形状和层数，与原有建筑物的相对位置、周围环境、地貌地形、道路和绿化的布置等情况，是新建房屋及其他设施的________、________、________以及设计水、暖、电、燃气等管线总平面图的依据。
4. 建筑总平面图中标注的尺寸是以________为单位，一般标注到小数点后________位；其他建筑图样（平、立、剖面图）中所标注的尺寸则以________为单位。
5. 建筑平面图（除屋顶平面图之外）是假想用一水平的剖切面沿门窗洞口的位置将房屋剖切后，对剖切面以下部分房屋所作出的________，称为________，简称________。一幢多层房屋通常是以层数来命名的，应画出各层的建筑平面图，并在每个图的下方注明相应的图名和比例。若中间各层房间的布置都相同时，可用一个平面图表示，称为标准层平面图，但至少也要画出三个平面图，即________、________、________。
6. 建筑施工图包括________、________、________、________和________。
7. 建筑平面图中外墙尺寸一般标注三道，第一道为________尺寸，表示房屋的总长、总宽；第二道为________尺寸，表示定位轴线之间的距离；第三道为________尺寸，表示外部门窗洞口的宽度和定位尺寸。
8. 一般房屋有四个立面，通常把反映房屋主要出入口的立面图称为________图，其背后的立面图称为________图，两侧的立面图称为________图。也可按房屋立面的朝向来定立面图的名称如________图，或用立面图两端________墙的________来定立面图的名称。
9. 建筑剖面图是房屋的________剖面图。剖切平面应选择在房屋内部构造复杂而又反映特征且具有代表性的部位，并应尽量通过________和________剖切，常用全剖面图和阶梯剖面图。剖切符号一般应画在 平面图内。
10. 建筑剖面图主要用来表达房屋内部垂直方向的结构形式、沿高度方向分层情况、各层构造作法、门窗洞口高、层高及建筑总高等。

作业指导

第五次作业：

一、目的

要求学生熟练掌握建筑施工图的平面图、立面图、剖面图的画法。

二、要求

1. 仔细阅读该别墅的平面图、立面图、剖面图及详图，弄清该建筑的内外形状（门窗、雨篷、阳台、楼梯等）等；
2. 图纸：2 号图幅；
3. 比例：1∶100；
4. 图线：要求粗、中、细各线宽度分明；
5. 字体：汉字用仿宋体，书写端正整齐，尺寸标注无误，图面整洁。

三、绘图步骤

1. 先绘制定位轴线；
2. 画墙线；
3. 画门窗洞口位置；
4. 参照楼梯详图尺寸画楼梯；
5. 标注尺寸及注写文字。

四、完成内容

1. ①～⑥轴立面图；
2. 一层平面图；
3. 1-1 剖面图。

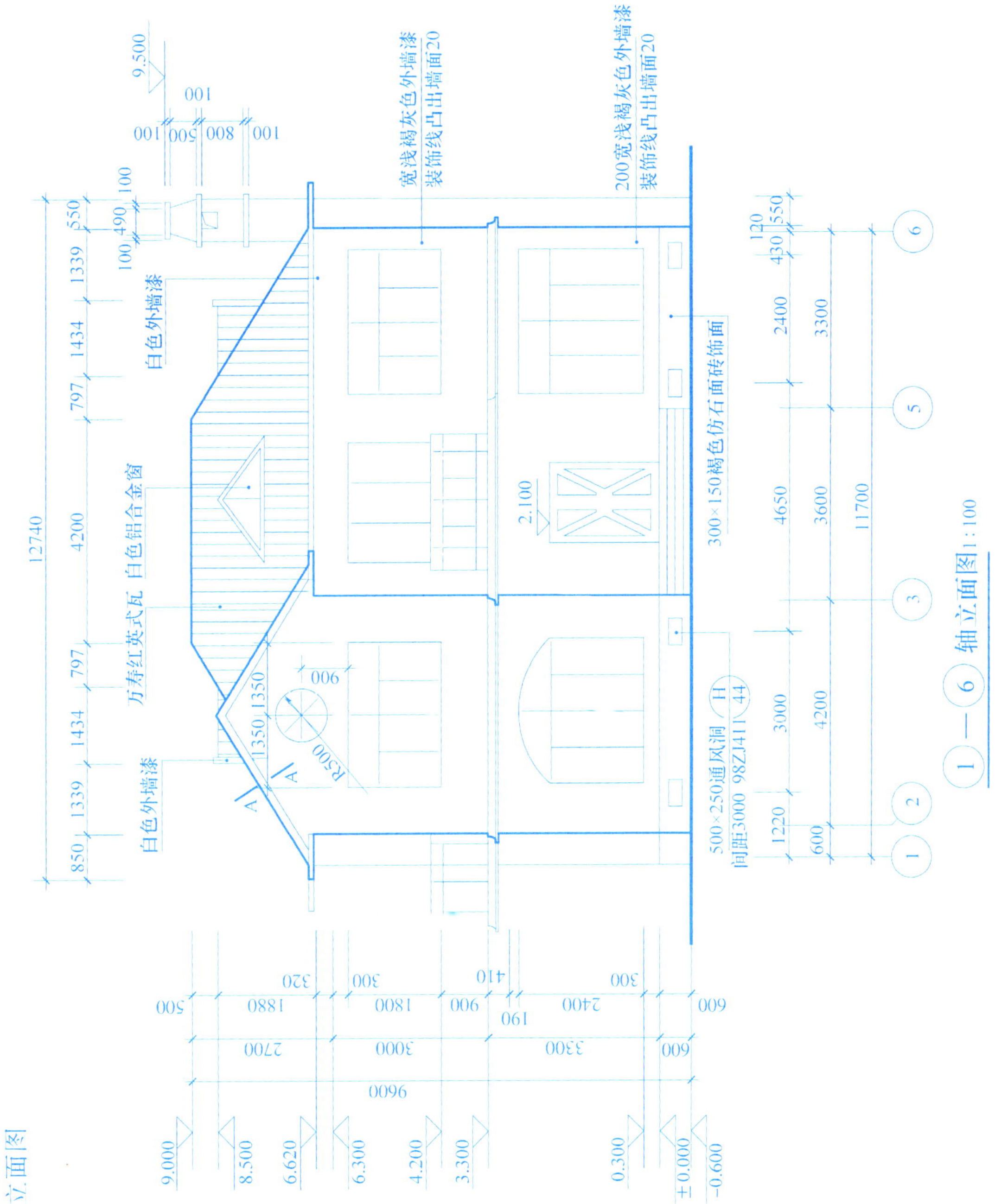

7-2　阅读某别墅正立面图

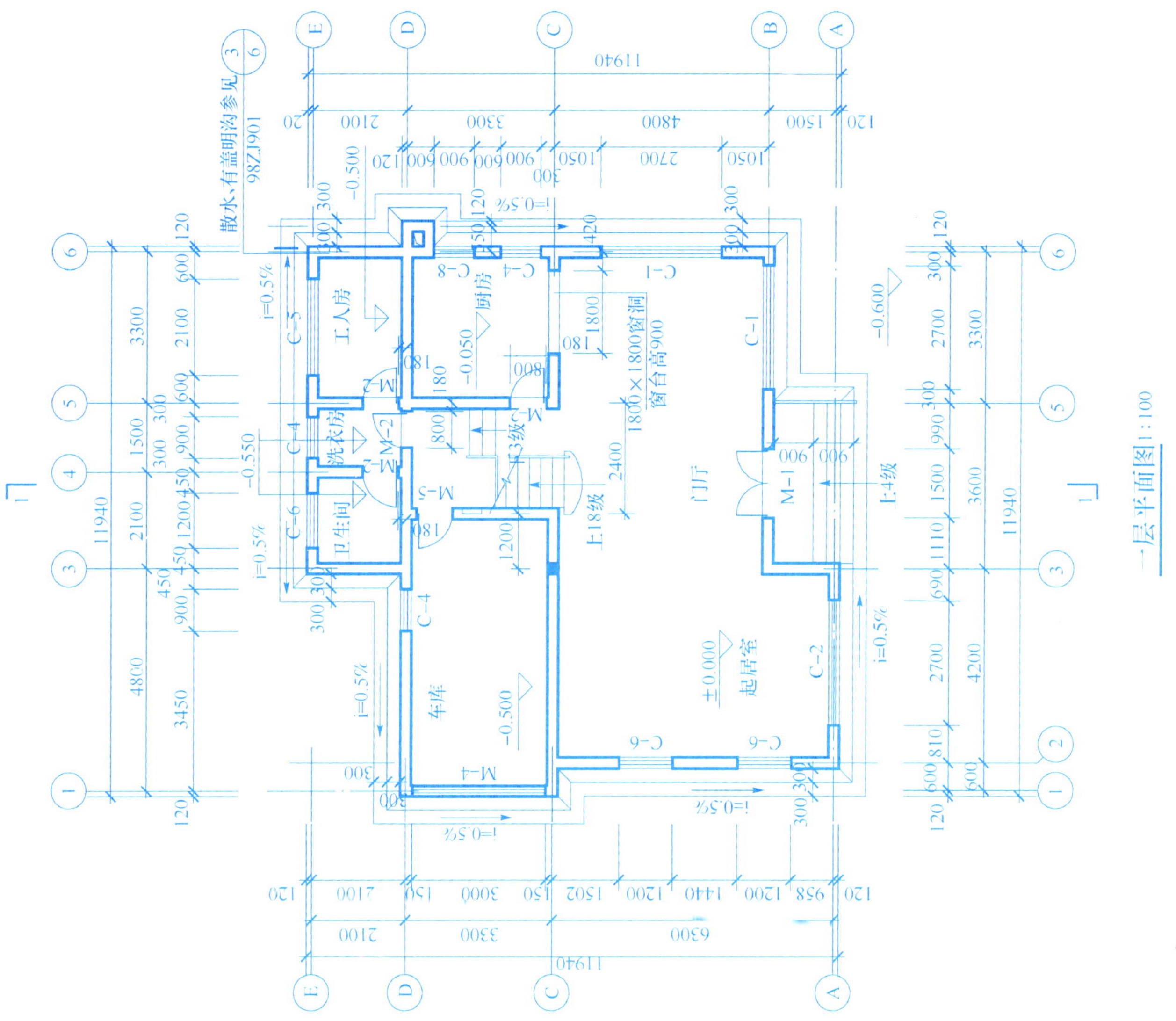

7-3　阅读某别墅一层平面图

7-4　阅读某别墅背立面图

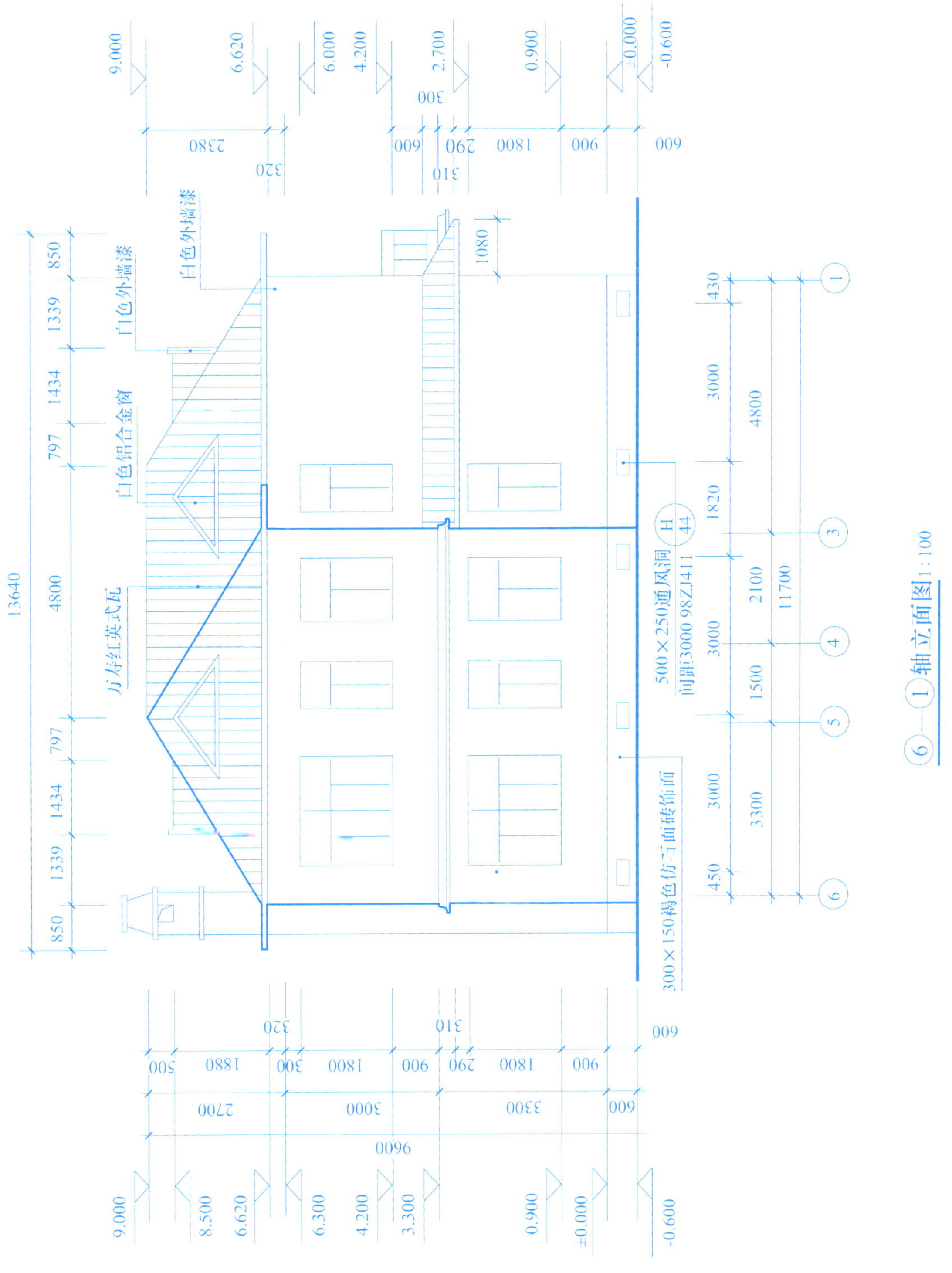

7-5　阅读某别墅二层平面图

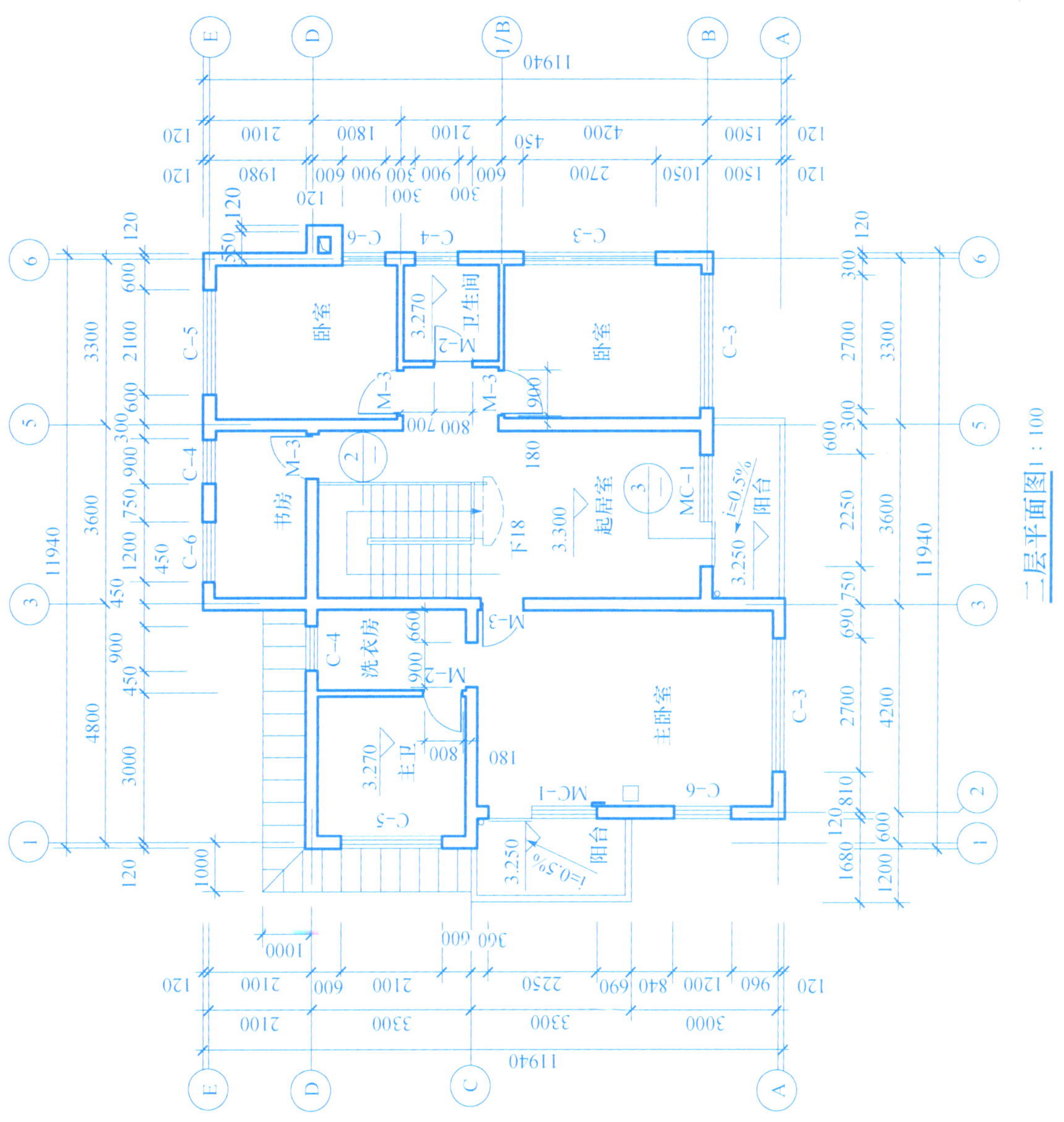

7-6 阅读某别墅屋顶平面图

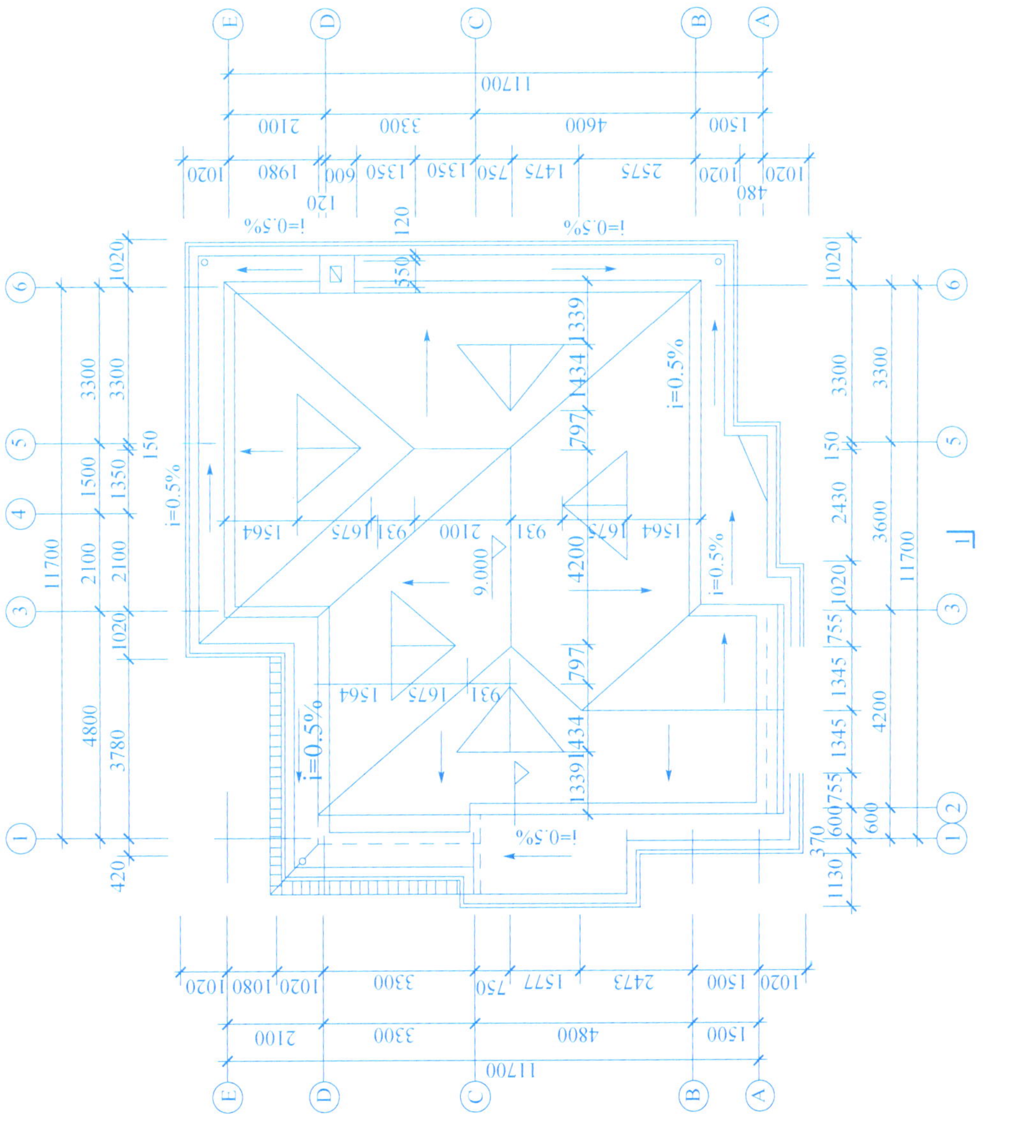

屋顶平面图 1:100

7-7 阅读某别墅剖面图

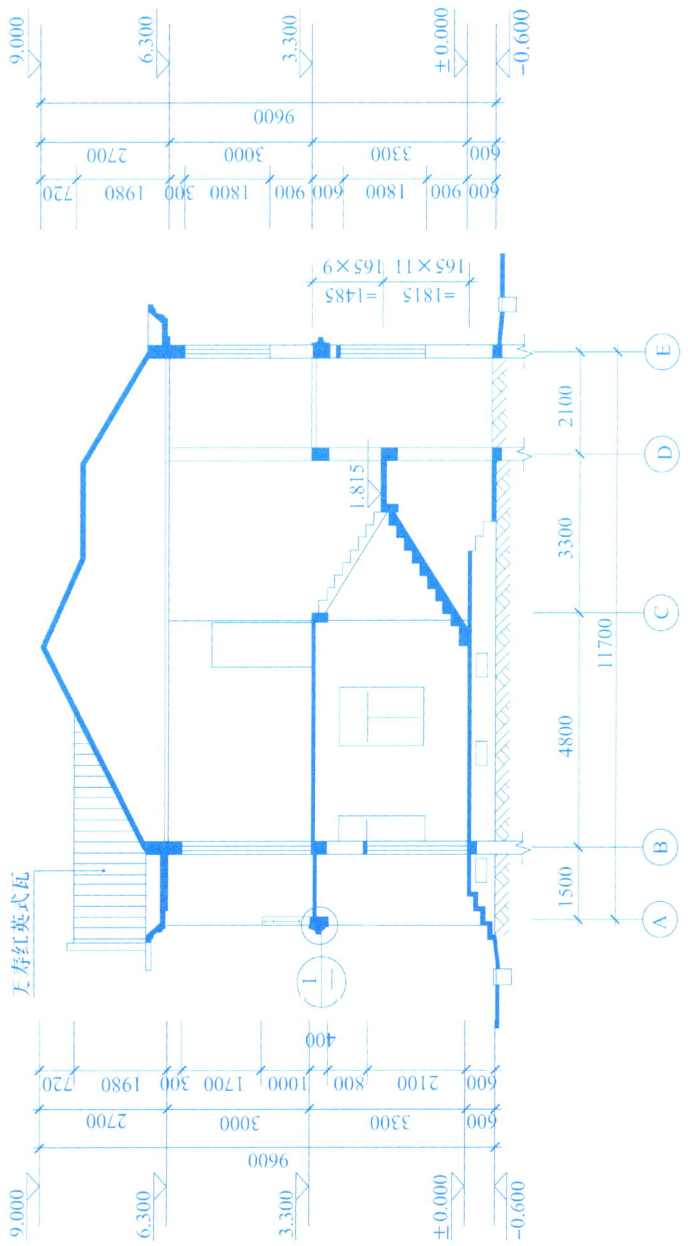

1—1 剖面图 1:100

7-8　阅读某别墅右侧立面图

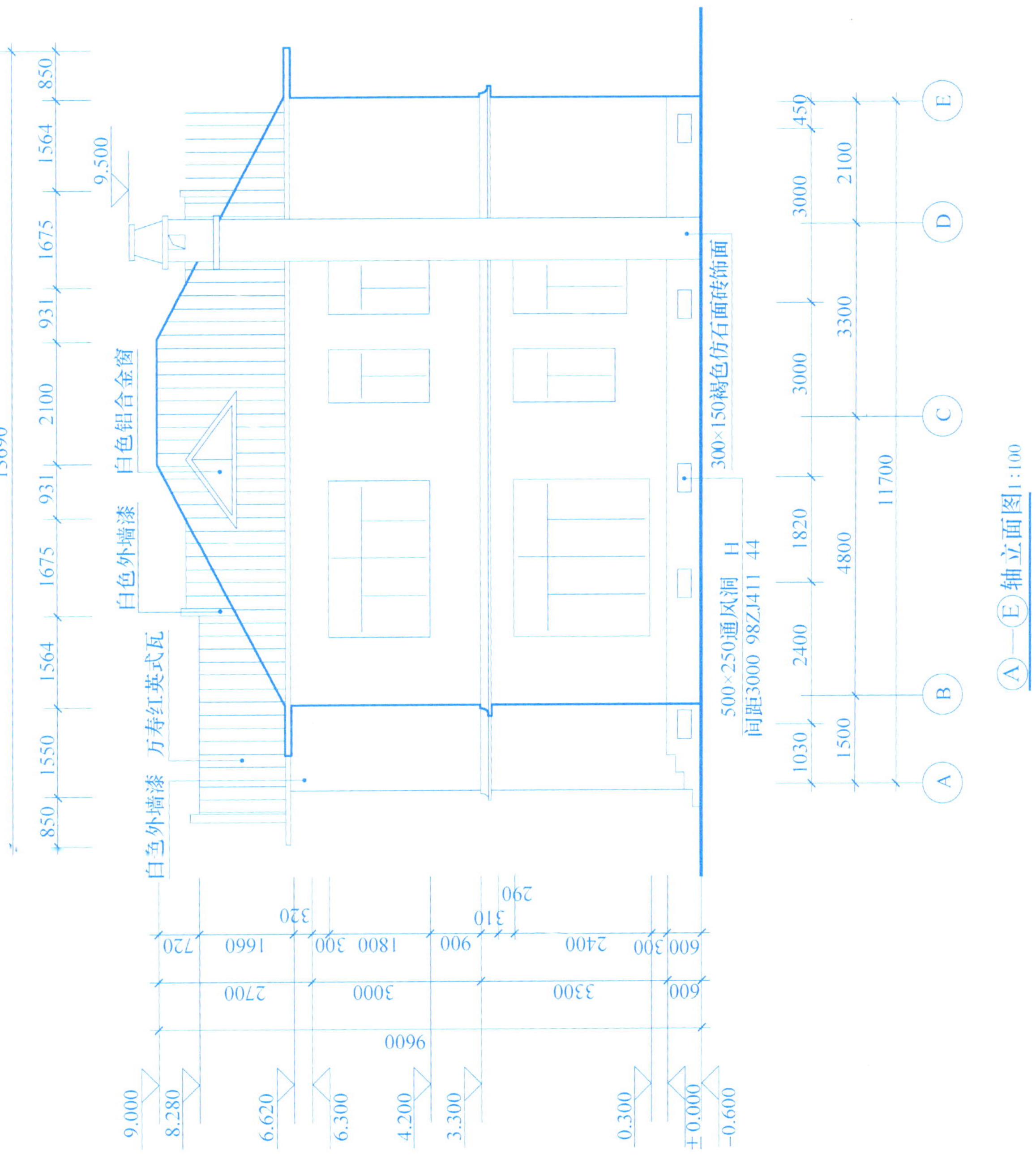

7-9　阅读某别墅左侧立面图

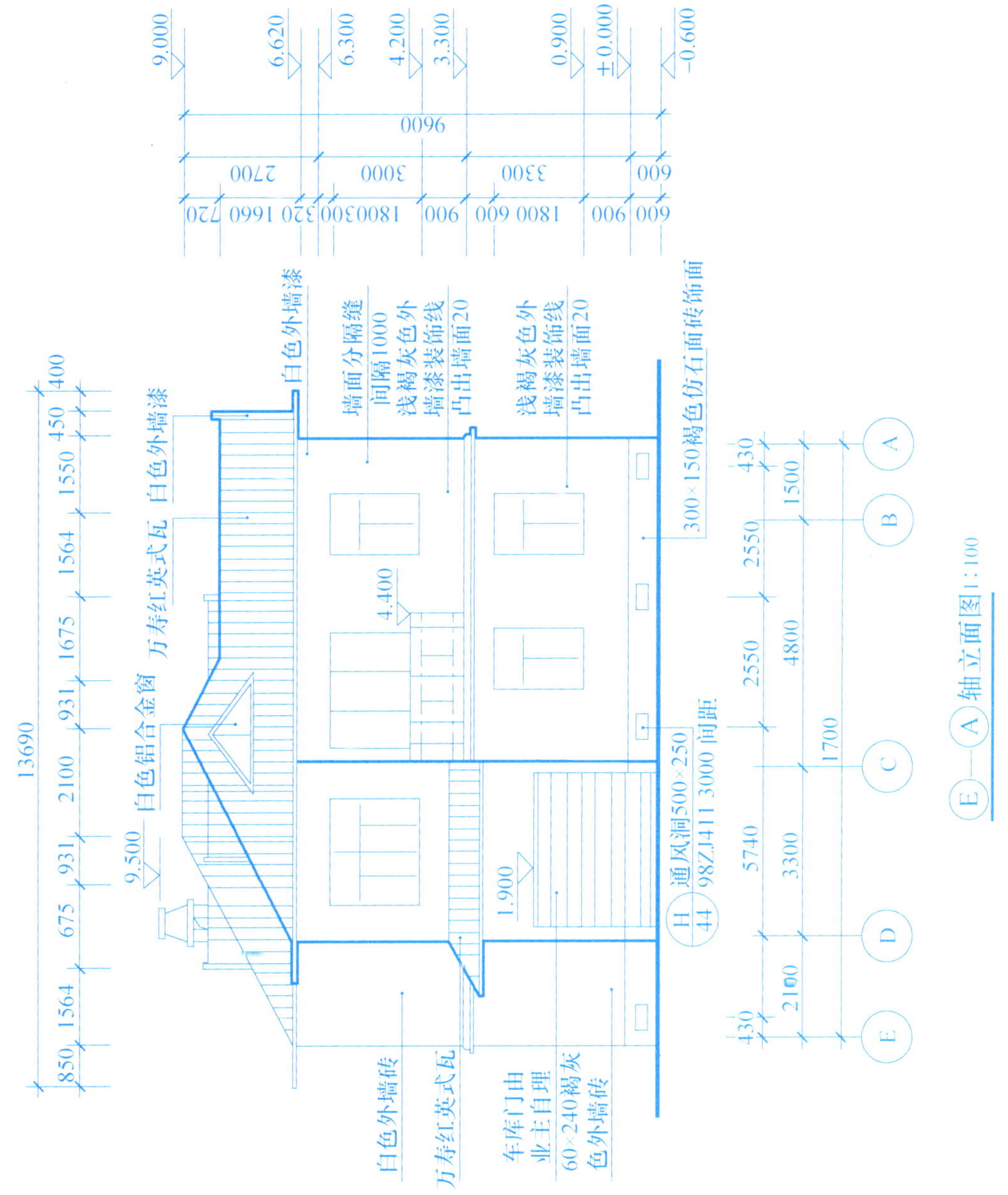

7-10　阅读详图，并在指定位置按 1∶30 比例绘出楼梯平面图

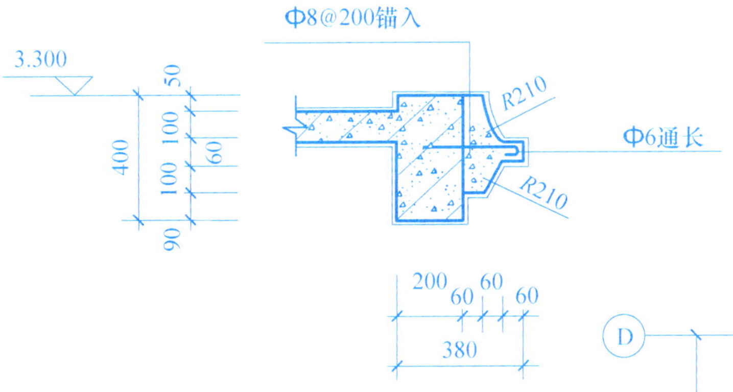

① 阳台剖面图 1 : 20

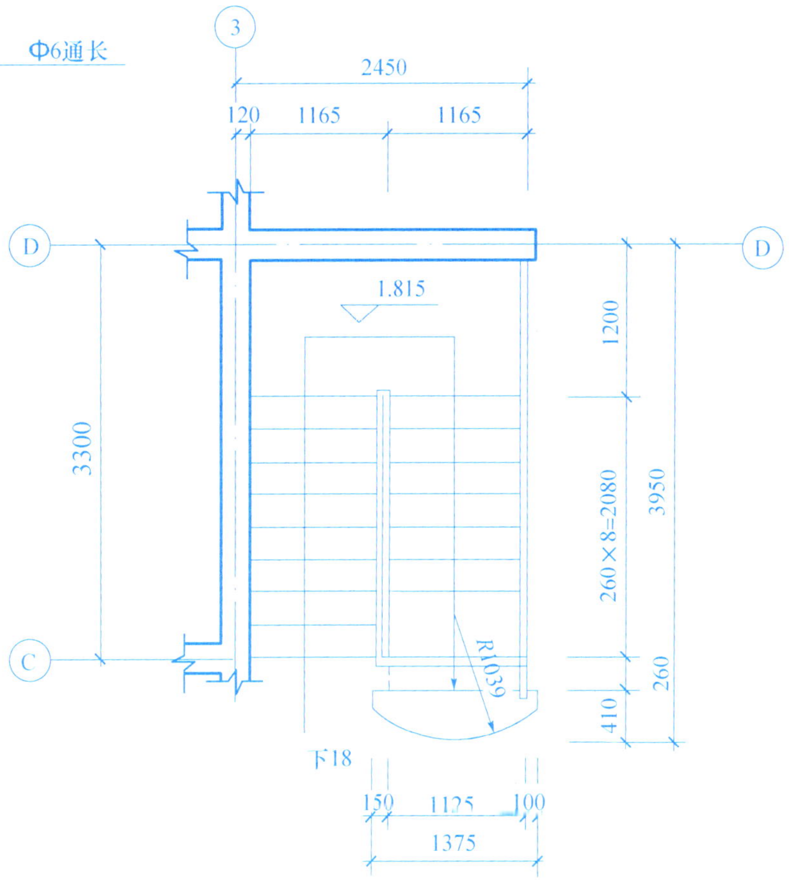

② 楼梯平面示意图 1 : 60

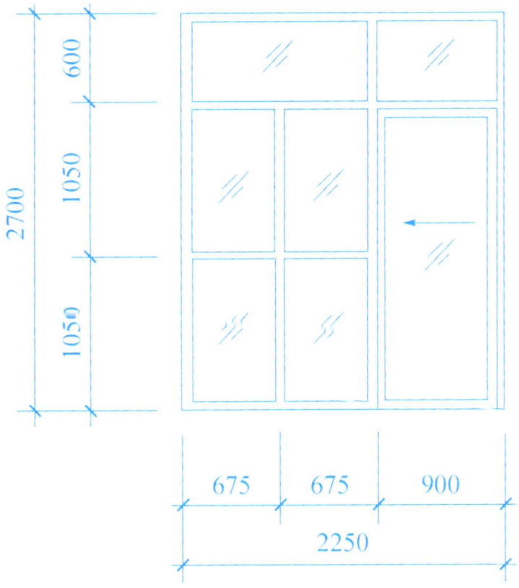

③ 窗立面图 1 : 50

楼梯平面示意图 1 : 30

7-11　单选题

1. 详图索引符号中的圆圈直径是（　　）。

A. 14mm　　B. 12mm　　C. 10mm　　D. 8mm

2. 对于（　　），一般用分轴线表达其位置。

A. 隔墙　　B. 柱子　　C. 大梁　　D. 屋梁

3. 定位轴线一般用（　　）表示。

A. 细实线　　B. 粗实线　　C. 细点划线　　D. 双点划线

4. 不能用于定位轴线编号的拉丁字母是（　　）

A. O　　B. I　　C. Z　　D. 以上全部

5. 相对标高的零点正确的注写方式为（　　）

A. +0. 000　　B. -0. 000　　C. ±0. 000　　D. 无规定

6. 定位轴线 A/3 表示（　　）

A. A 轴线之后附加的第 3 根轴线　　B. A 轴线之前附加的第 3 根轴线

C. 3 轴线之前附加的第 A 根轴线　　D. 3 轴线之后附加的第 A 根轴线

7. 关于建筑平面图的图示内容，以下说法错误的是（　　）

A. 表示内外门窗位置及编号　　B. 表示楼板与梁柱的位置及尺寸

C. 注出室内楼地面的标高　　D. 画出室内设备和形状

8. 建施首页图没有（　　）

A. 图纸目录　　B. 设计说明　　C. 总平面图　　D. 工程做法表

9. 建筑剖面图一般不需要标注（　　）等内容。

A. 门窗洞口高度　　B. 层间高度　　C. 楼板与梁的断面高度　　D. 建筑总高度

10. 下列（　　）必定属于总平面表达的内容。

A. 相邻建筑的位置　　B. 墙体轴线　　C. 柱子轴线　　D. 建筑物总高

11. 建筑平面图不包括（　　）

A. 基础平面图　　B. 首层平面图　　C. 标准平面图　　D. 屋顶平面图

12. 以下（　　）不属于建筑立面图图示的内容

A. 外墙各主要部位标高　　B. 详图索引符号　　C. 散水构造做法　　D. 建筑物两端定位轴线

13. 总平面图中，高层建筑宜在图形内右上角以（　　）表示建筑物层数

A. 点数　　B. 数字　　C. 点数或数字　　D. 文字说明

14. 建筑立面图不能用（　　）进行命名

A. 建筑位置　　B. 建筑朝向　　C. 建筑外貌特征　　D. 建筑首尾定位轴线

15. 外墙装饰材料和做法一般在（　　）上表示。

A. 首页图　　B. 平面图　　C. 立面图　　D. 剖面图

16. 剖面图中，标注在装修后的构件表面的标高是（　　）

A. 结构标高　　B. 相对标高　　C. 建筑标高　　D. 绝对标高

17. 在建筑施工图的平面图中，M 一般代表的是（　）。

A. 窗　　B. 门　　C. 柱　　D. 预埋件

18. 室外散水应在（　　）中画出。

A. 底层平面图　　B. 标准层平面图　　C. 顶层平面图　　D. 屋顶平面图

7-12　多选题

1. 建筑工程图中，标高的种类有（　　）几种。

A. 测量标高　　B. 绝对标高　　C. 相对标高　　D. 建筑标高　　E. 结构标高

2. 房屋建筑工程图由哪几部分组成（　　）

A. 建筑工程图目录　　B. 建筑施工图　　C. 结构施工图　　D. 总平面图　　E. 设备施工图

3. 以下关于定位轴线的说法正确的是（　　）

A. 定位轴线由细点划线画出　　B. 轴线的端部画细实线圆圈，编号写在圈内

C. 轴线的横向编号用大写拉丁字母表示　　D. 轴线的竖向编号用大写拉丁字母表示

E. 竖向编号的编写顺序为自下而上

4. 下列说法正确的有（　　）

A. 索引符号的上半圆数字表示详图编号

B. 详图符号的上半圆数字表示详图编号

C. 详图符号的下半圆数字表示详图所在图纸的图号

D. 详图符号的下半圆为——时表示详图在本张图纸内

E. 索引符号的下半圆数字表示详图所在图纸的图号

5. 建筑剖面图应标注（　　）等内容。

A. 门窗洞口高度　　B. 层间高度

C. 建筑总高度　　D. 楼板与梁的断面高度

E. 室内门窗洞口的高度

6. 下面属于建筑施工图的有（　　）

A. 首页　　B. 总平面图

C. 基础平面布置图　　D. 建筑立面图　　E. 建筑详图

7. 建筑平面图的组成为（　　）

A. 一层平面图　　B. 中间标准层平面图

C. 顶层平面图　　D. 屋顶平面图

E. 局部平面图

8. 楼梯详图一般包括（　　）

A. 楼梯平面图　　B. 楼梯立面图

C. 楼梯剖面图　　D. 楼梯详图　　E. 楼梯首页

9. 建筑立面图要标注（　　）等内容。

A. 详图索引符号　　B. 入口大门的高度和宽度

C. 外墙各主要部位的标高　　D. 建筑物两端的定位轴线及其编号

E. 文字说明外墙面装修的材料及其做法

10. 墙身详图要表明（　　）

A. 墙角的做法　　B. 梁、板等构件的位置

C. 大梁的配筋　　D. 构件表面的装饰

E. 墙身定位轴线

8-1　填空

1. 任何一栋建筑物都是由基础、墙、柱、梁、楼板和屋面板组成骨架。这种骨架称为__________，组成骨架的“零件”称为结构的__________。
2. 房屋结构按使用的材料不同，可分为________、________、________、________、________。
3. 钢筋混凝土构件由__________和__________两种材料组成。混凝土抗拉__________，抗压__________。而钢筋不但具有良好的__________，而且与混凝土有良好的粘结力，可以结合成一个整体，共同承受外力。
4. 钢筋混凝土构件有__________和__________两种。现浇是指在建筑工地现场浇制，预制是指在预制品工厂先浇制好，然后运到工地进行吊装。有的预制构件也可在工地上预制，然后吊装。此外，在制作构件时，通过张拉钢筋对混凝土__________，可以提高构件的__________性能，这种构件称为__________混凝土构件。
5. 钢筋混凝土结构中的钢筋，有的是由于受力需要而配置的，有的则是因为构造要求而安放的，这些钢筋的形式及作用各不相同，一般可分为（1）__________（2）__________（3）__________（4）__________（5）__________。
6. 为了保护钢筋，防止锈蚀，防火，及加强钢筋与混凝土的粘结力，在构件中的钢筋外面要留有保护层。梁、柱的保护层最小厚度为__________，板和墙的保护层厚度为__________，且应小于受力筋的__________。
7. 工程中常用的钢筋混凝土构件有梁、板、柱和框架等。钢筋混凝土构件详图，一般包括__________图（对于复杂的构件）、__________图、__________表和__________详图。
8. 楼层结构平面图用来表示楼面板及其下面的墙、梁、柱等承重构件的__________，或表示现浇板的构造与配筋，以及它们之间的__________。
9. 基础图包括__________和__________。基础下部的土壤称为__________；为基础施工而开挖的土坑称为__________；基坑边线就是__________的灰线；从室内地面到基础顶面的墙称为__________；从室外设计地面到基础底面的垂直距离称为__________；基础墙下部做成阶梯形的砌体称为__________；防潮层是防止地下水对墙体侵蚀的一层防潮材料。
10. 基础的形式一般取决于上部承重构件的形式，如墙下的基础做成__________基础；柱下的基础做成__________基础。
11. 楼梯结构详图包括__________、__________和__________。楼梯配筋图主要由__________和__________的配筋断面图组成。
12. 混凝土结构施工图____________________，简称平法。平法设计的结构施工图由__________和__________组成。
13. 平面注写包括__________和__________两种方式。集中标注注写梁的通用数值，原位标注注写梁的特殊数值。

作业指导

第六次作业：

一、目的

要求学生熟练掌握基础平面图、现浇梁、板配筋图；楼层结构平面图；楼梯结构平面图；楼梯结构剖面图；楼梯配筋图的画法。

二、要求

抄绘基础平面图；楼层结构平面图；楼梯结构剖面图等。

1. 图纸：3 号图幅；
2. 比例：1∶100；
3. 图线：要求粗、中、细各线宽度分明；
4. 字体：汉字用仿宋体，书写端正整齐，尺寸标注无误，图面整洁。

三、绘图步骤

1. 绘制轴线；
2. 绘制基槽边线或楼板布置方向；
3. 绘制门窗洞口位置；
4. 标注尺寸。

四、完成内容

1. 抄绘基础平面图；基础详图；
2. 抄绘一层结构平面图；
3. 抄绘教材第 8 章图 8-16 楼梯结构剖面图和图 8-17 楼梯板及楼梯梁配筋图。

8-2　阅读基础平面图

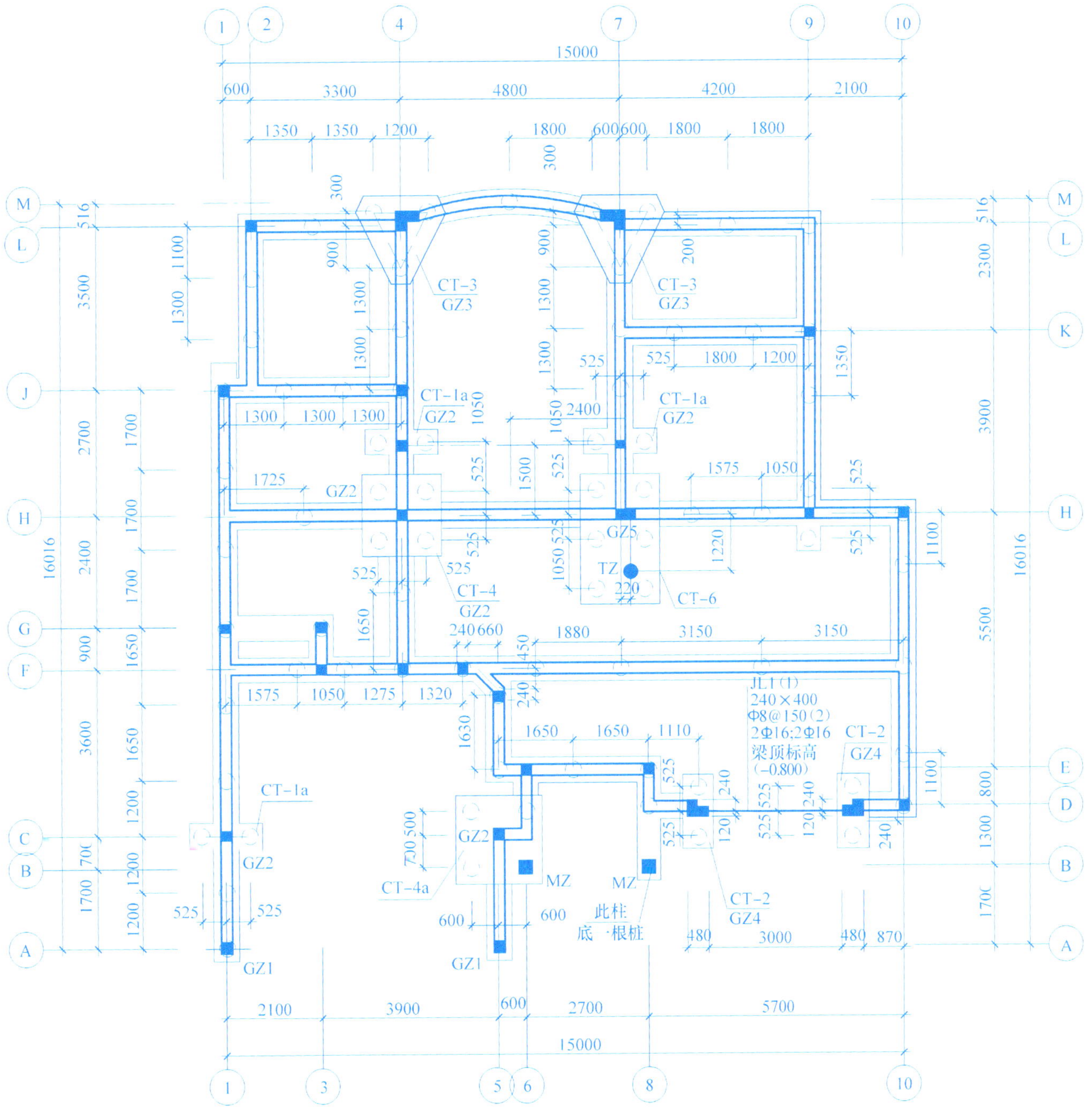

桩基础平面图 1:100
未注明处均为GZ

8-3　阅读基础详图

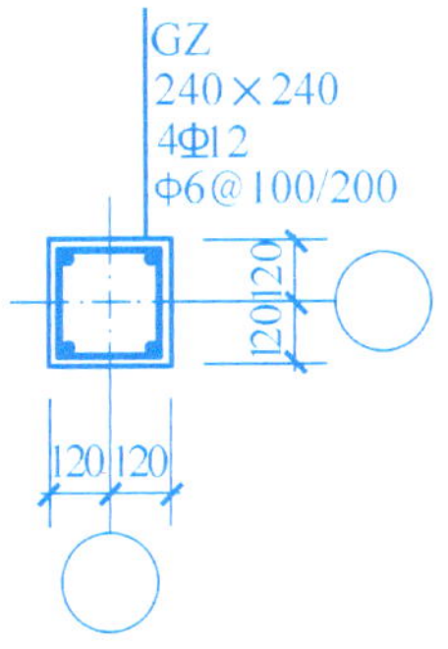

GZ（GZ1）
GZ均从基础伸至屋面
GZ1从基础伸至标高为4.2m处

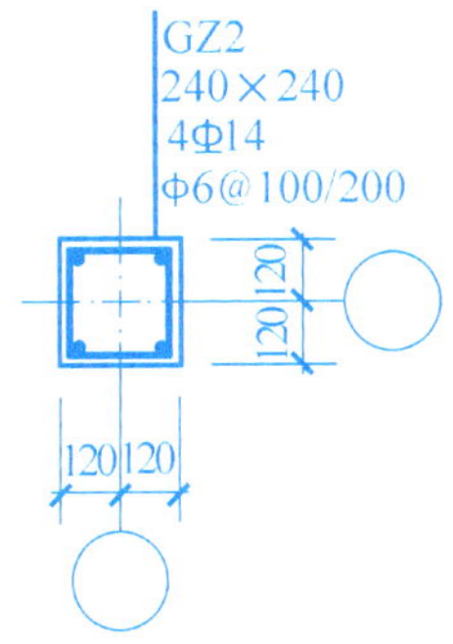

GZ2
从基础伸至屋面

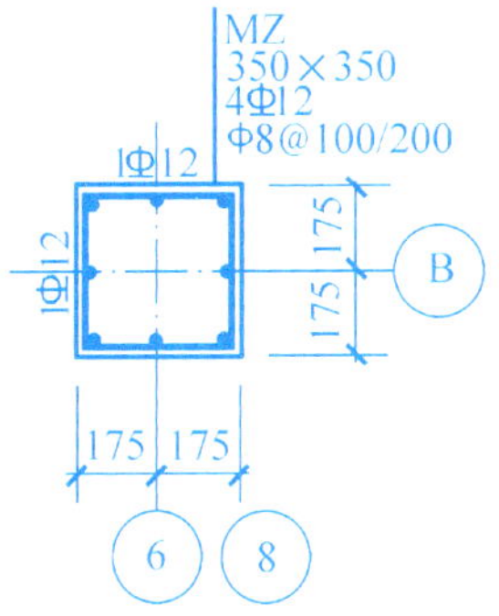

MZ
从基础伸至标高为3.6m处

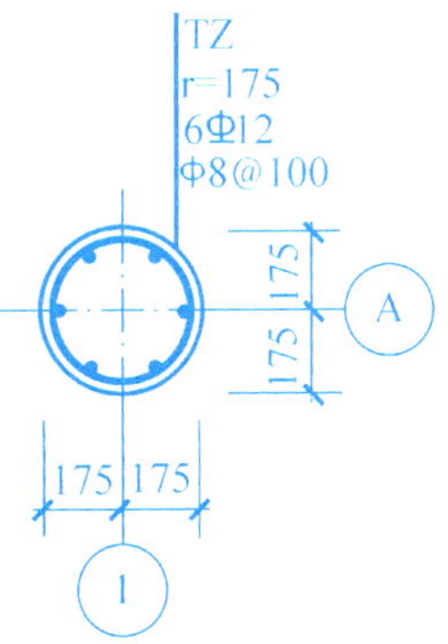

TZ
从基伸至标高为0.913m处

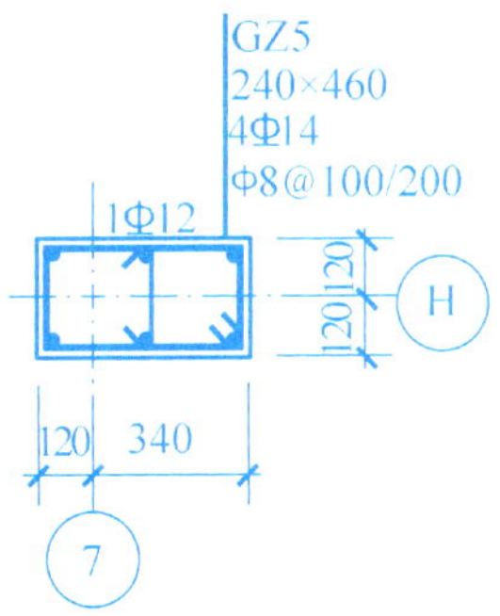

GZ5
从基础至标高为3.3m

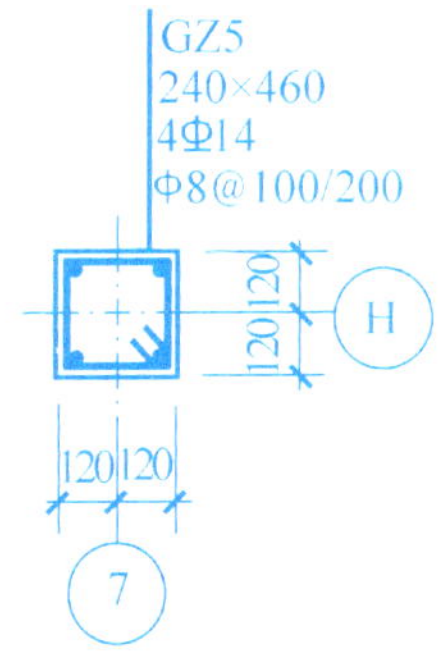

GZ5
从标高为3.3m至屋面

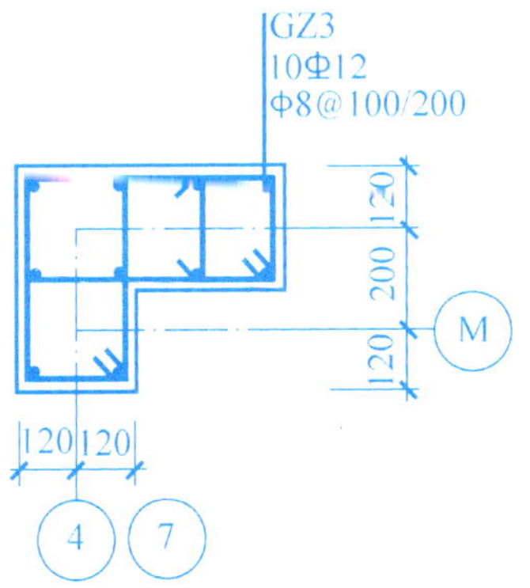

GZ3
从基础伸至屋面

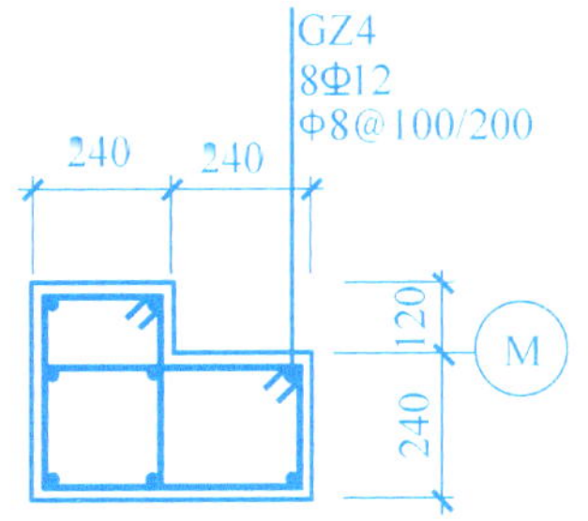

GZ4
从基础伸至屋面

8-4　阅读承台详图

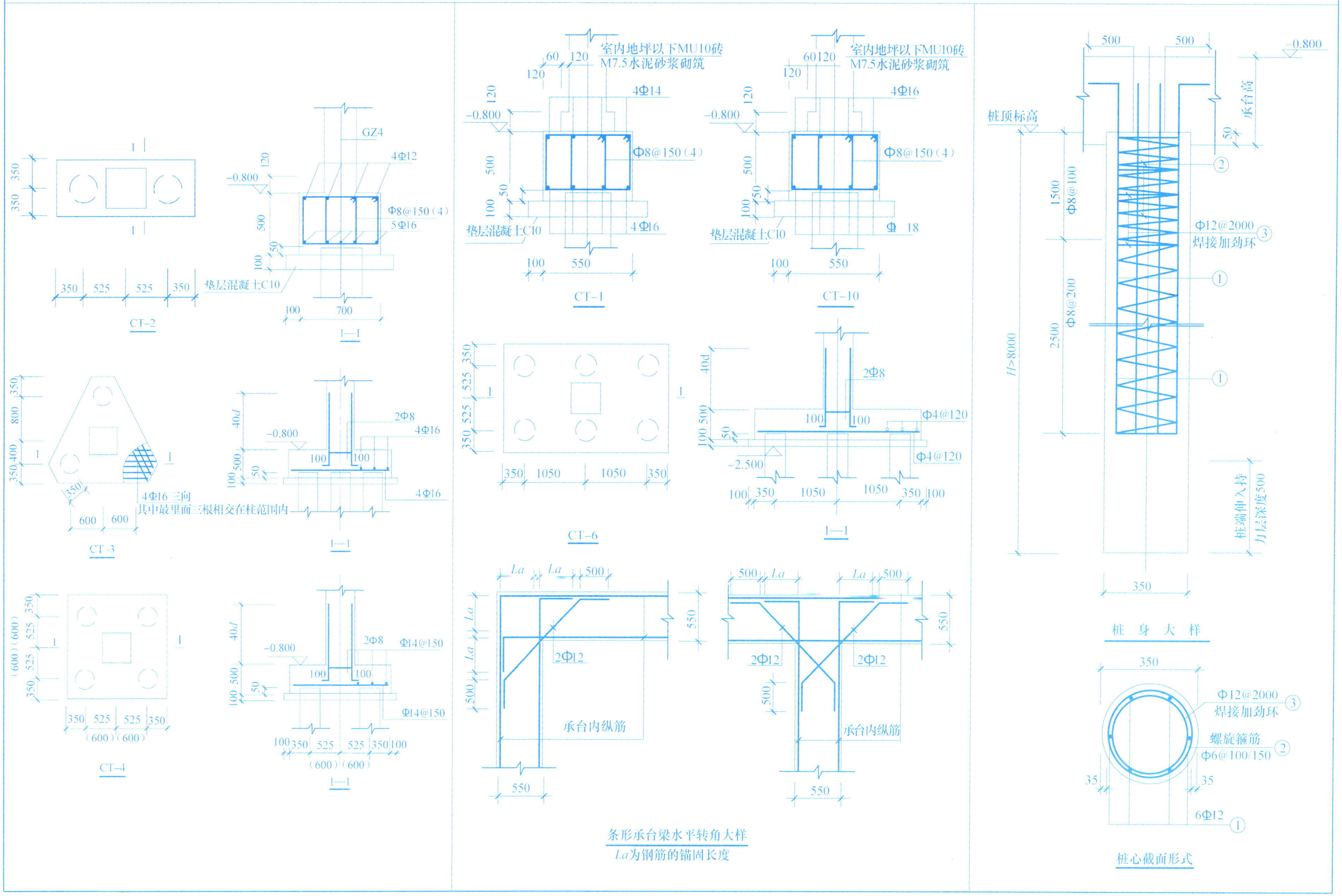

CT-2
1—1
GZ4
4Φ12
Φ8@150（4）
5Φ16
-0.800
垫层混凝土C10
CT-3
4Φ16 三向
其中最里面三根相交在柱范围内
2Φ8
4Φ16
CT-4
Φ14@150
（600）（600）
室内地坪以下MU10砖
M7.5水泥砂浆砌筑
4Φ14
4Φ16
CT-1
CT-10
CT-6
Φ4@120
-2.500
La
2Φ12
承台内纵筋
条形承台梁水平转角大样
La为钢筋的锚固长度
承台高
桩顶标高
Φ8@100
Φ8@200
Φ12@2000
焊接加劲环
H≥8000
桩端伸入持力层深度500
桩身大样
螺旋箍筋
Φ6@100/150
6Φ12
桩心截面形式

8-5　阅读楼梯配筋图，并用 A3 图纸按 1∶20 比例绘图

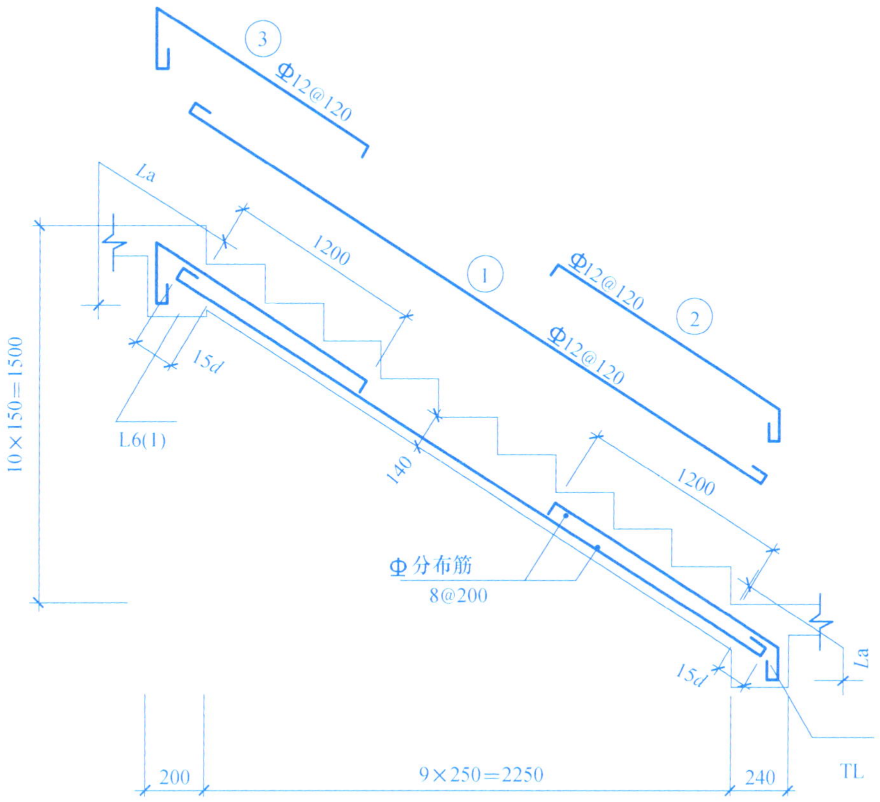

A—A楼梯剖面图1∶30

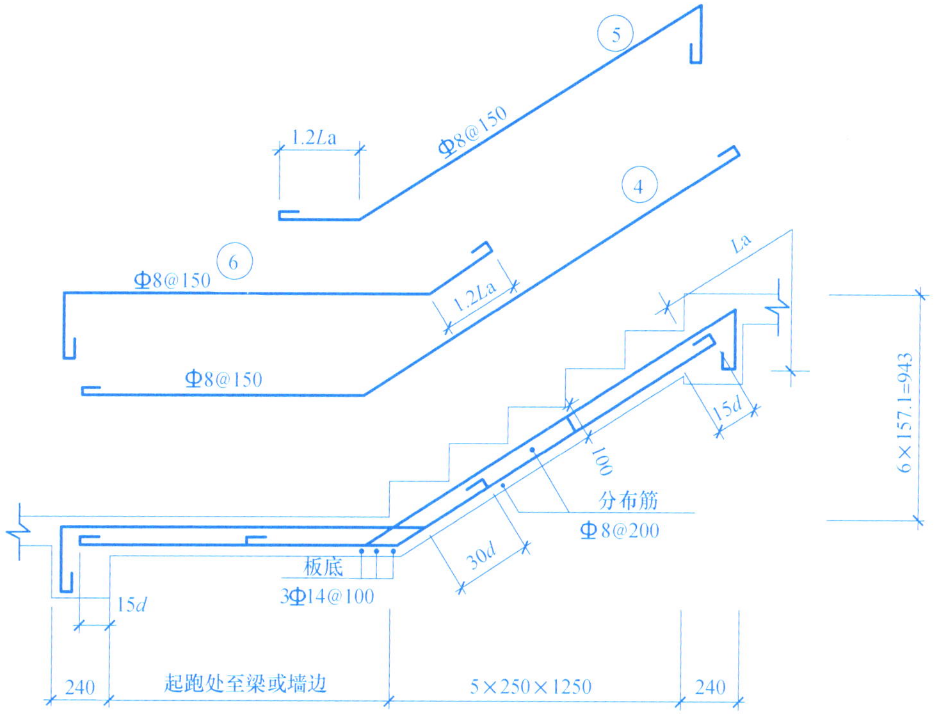

B—B楼梯剖面图1∶30

8-6 根据钢筋混凝土梁的立面图，梁的断面为 240mm×600mm，画出 1-1 断面图和 2-2 断面图及钢筋详图

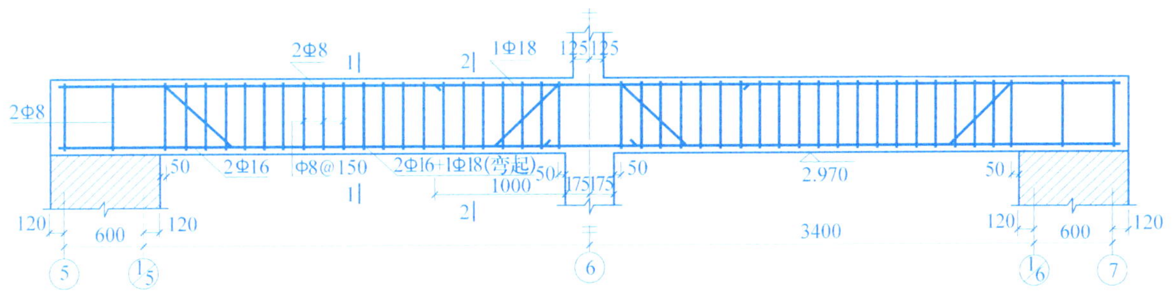

L 1:25

1—1断面图 1:20

2—2断面图 1:20

8-7 阅读一层结构平面图，用 1:20 比例绘制 JL1、JL2、JL3 的断面图

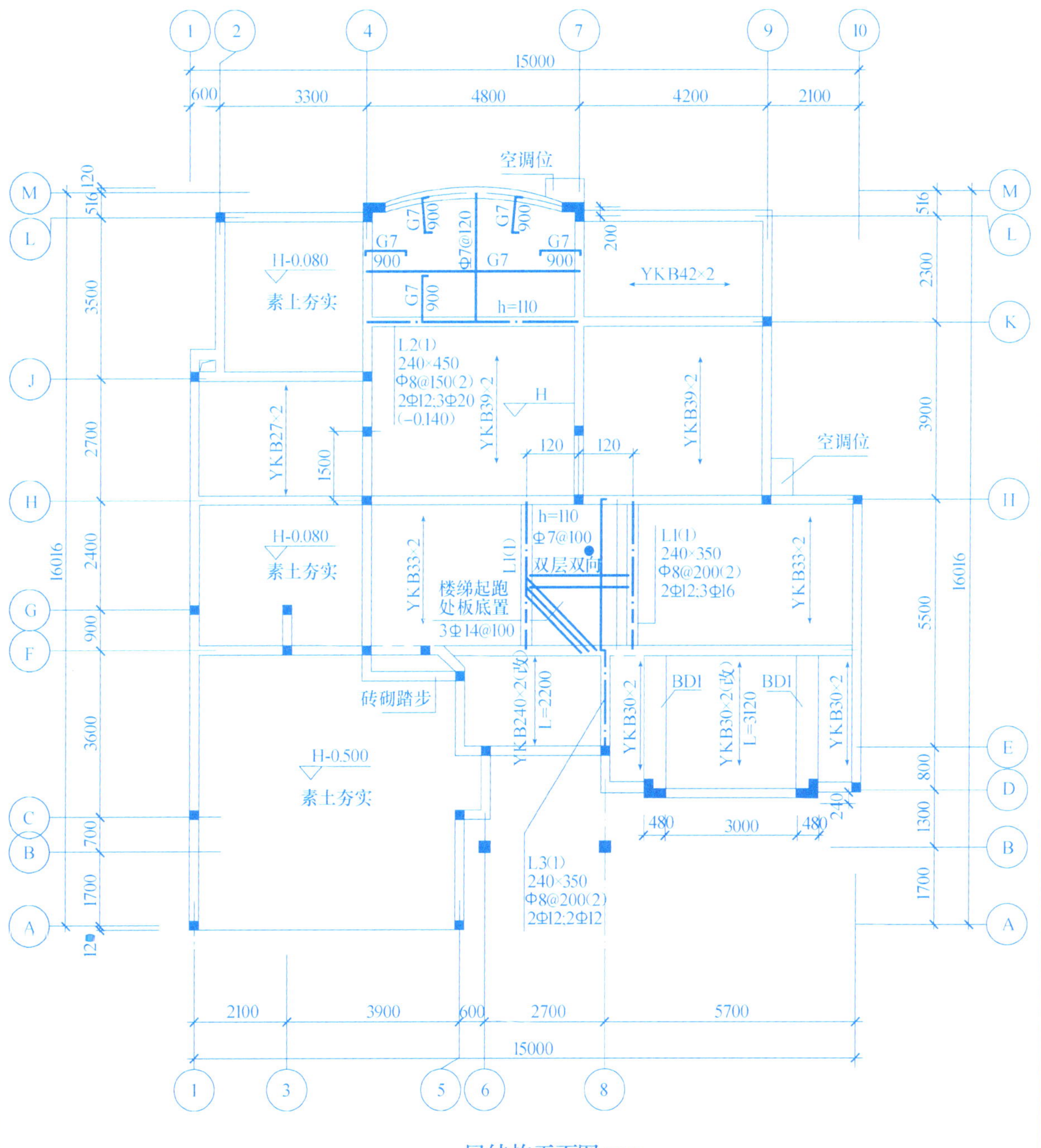

一层结构平面图 1:100

H=-0.030

JL1断面图 1：20

JL2断面图 1：20

JL3断面图 1：20

8-8　选择题

一、单选题

1. 标注 Φ6@200 中，以下说法错误的是（　　）

A. Φ 为直径符号，且表示该钢筋为Ⅰ级　　B. 6 代表钢筋根数

C. @ 为间距符号　　D. 200 代表钢筋间距为 200mm

2. 砖混结构房屋结构平面图一般没有（　　）

A. 基础平面图　　B. 底层结构平面布置图

C. 楼层结构平面布置图　　D. 屋面结构平面布置图

3. 一般梁中保护层厚度为（　　）

A. 10mm　　B. 15mm　　C. 20mm　　D. 25mm

4. 一般板中保护层厚度为（　　）

A. 5mm　　B. 15mm　　C. 20mm　　D. 25mm

5. 钢筋混凝土结构中承受力学计算中拉、压应力的钢筋称为（　　）

A. 受力钢筋　　B. 架立筋　　C. 箍筋　　D. 分布筋

6. 配筋图中的钢筋用（　　）表示。

A. 细实线　　B. 粗实线　　C. 虚线　　D. 黑圆点

7. 按照钢筋所起的作用不同，在钢筋混凝土构件中没有（　　）

A. 受力钢筋　　B. 分布钢筋　　C. 架立钢筋　　D. 光滑钢筋

8. 钢筋混凝土基础的受力钢筋配置在基础底板的（　　）

A. 上部　　B. 下部　　C. 中部　　D. 以上均可

9. 钢筋的种类代号“Φ”表示的钢筋种类是（　　）

A. HPB235 钢筋　　B. HRB335 钢筋　　C. HRB400 钢筋　　D. RRB400 钢筋

10. 基础外轮廓线用（　　）绘制

A. 粗实线　　B. 中粗实线　　C. 细实线　　D. 细虚线

11. 关于基础平面图画法规定的表述中，以下正确的有（　　）

A. 不可见的基础梁用细虚线表示　　B. 地沟用粗实线表示

C. 穿过基础的管道洞口可用粗实线表示　　D. 剖到的钢筋混凝土柱用涂黑表示

12. 条形基础上设有基础梁的可见的梁用（　　）表示。

A. 细实线　　B. 粗实线　　C. 虚线　　D. 细点划线

二、多选题

1. 梁平法施工图注写方式有（　　）注写方式。

A. 平面　　B. 立面　　C. 剖面　　D. 截面　　E. 列表

2. 结构施工图的组成有（　　）

A. 结构设计说明　　B. 结构平面图

C. 基础平面图　　D. 结构详图　　E. 楼层平面图

3. 柱平法施工图注写方式有（　　）注写方式。

A. 平面　　B. 立面　　C. 剖面　　D. 截面　　E. 列表

4. 平面注写包括（　　）标注方式。

A. 集中　　B. 个别　　C. 原位　　D. 部分　　E. 分别

5. 结构平面图有（　　）

A. 基础平面图　　B. 底层结构平面布置图

C. 楼层结构平面布置图　　D. 屋顶结构平面布置图

E. 楼梯结构平面图

6. 配筋图画法规定有（　　）等内容。

A. 构件外形尺寸由粗实线表示　　B. 用细实线绘制钢筋

C. 钢筋断面由黑圆点表示　　D. 要注出钢筋根数、级别、直径

E. 箍筋可不注出根数，但要标出间距

8-9 平法施工图集（03G101－1）考核试题

一、填空题（共 10 题，每题 3 分）

1. 梁平法施工图的表示方法系在梁的平面布置图上采用____________注写方式和____________注写方式。

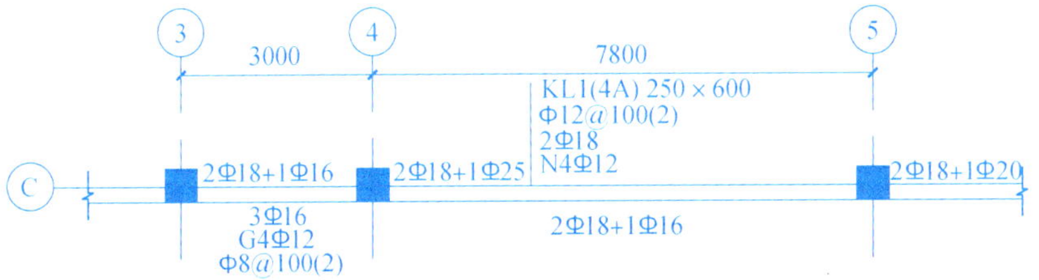

图一

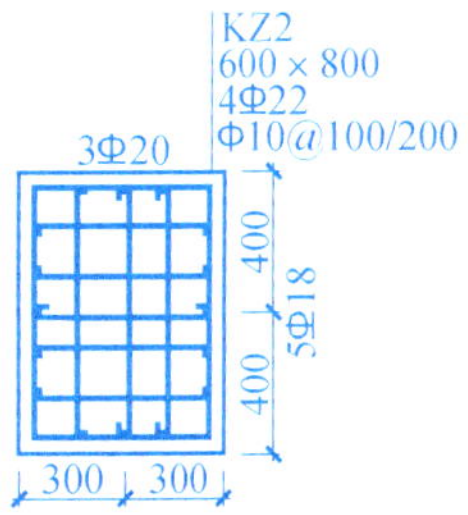

图二

2. 如图一所示，④～⑤轴线间梁箍筋直径及间距为____________。
3. 如图一所示，KL1 为____________跨连续梁。
4. 如图一所示，柱子断面为 400×400，④轴梁支座处上部负弯矩钢筋为直径 25 三级钢，它的长度是____________m。
5. 如图一所示，④～⑤轴线间梁的侧面纵向钢筋为____________。
6. 图二柱子的箍筋肢数为____________。

二、单项选择题

1. 梁平面注写方式中包括集中标注和原位标注，施工时（　　）标注优先。

A. 原位标注　　B. 集中标注

2. 图三为某三跨连续梁的支座断面和跨中断面图，下列集中标注表达正确的是（　　）。

A. L4
250×300
2Φ14；2Φ16
Φ8@100/200（2）

B. L4（3）
250×300
2Φ14；2Φ16
Φ8@100/200（2）

C. L4（3）
250×300
2Φ14；2Φ16
Φ8@100/200

D. L4（3）
2Φ14；2Φ16
Φ8@200

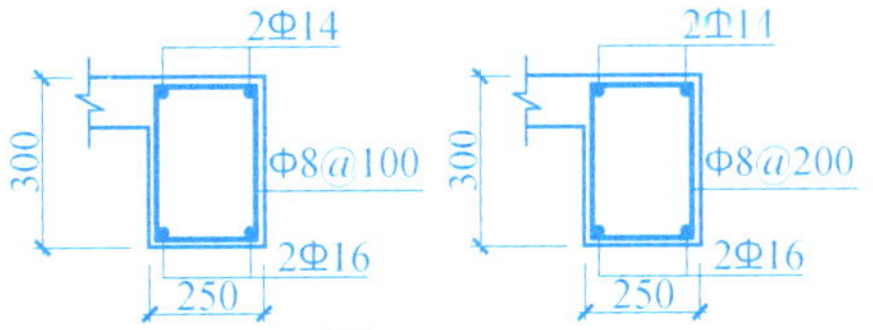

图三 L4

3. 梁的上部有四根纵筋（Φ 代表二级钢筋），2Φ25 放在角部，2Φ12 放在中部作为架立筋，在梁支座上部应注写为（　　）。

A. 2Φ25＋2Φ12　　B. 2Φ25＋（2Φ12）　　C. 2Φ25；2Φ12

4. 梁的支座下部钢筋两排，上排 2Φ22，下排 4Φ25，在梁支座上部应注写为（　　）。

A. 2Φ22＋4Φ25　　B、2Φ22＋4Φ25　4/2　　C、2Φ22＋4Φ25　2/4

三、钢筋抽筋（35 分）

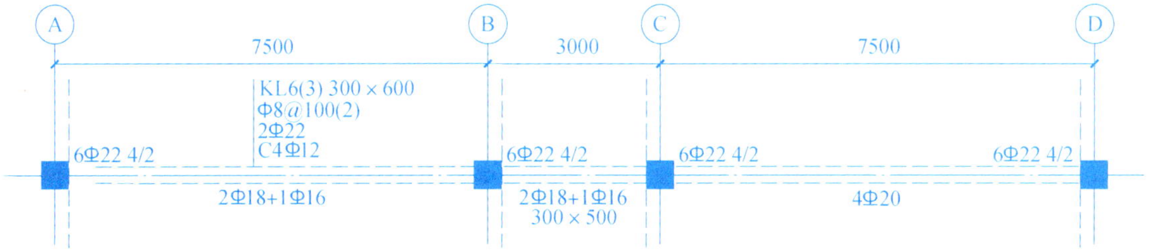

图四

某建筑框梁 KL6 的平面注写如图四所示，混凝土强度等级为 C25，二级抗震等级，柱子尺寸为 800mm×800mm，请将 KL6 的钢筋按照下表填写钢筋明细（不考虑钢筋弯起半径的长度增减）。

序号	钢筋位置或名称说明	规格	简图	单长（m）	根数

四、按 1:20 比例绘制 1、2、3 三个截面的梁配筋图。

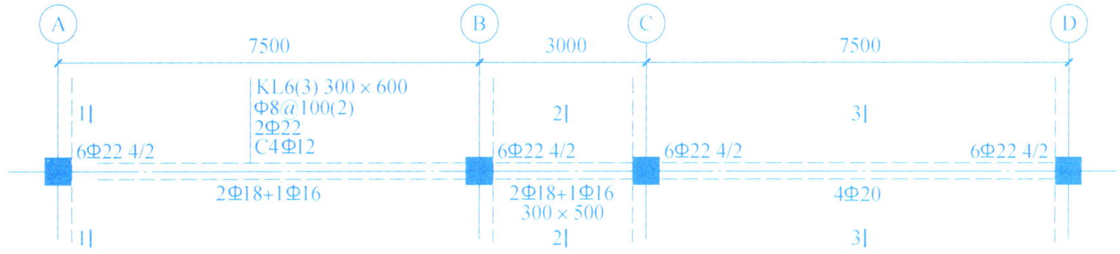

图五

第9章　给水排水施工图　　　　班级　　　　姓名　　　　成绩

9-1　填空

1. 给水排水工程包括____________和____________。
2. 给水排水工程图是表达室内外给水排水工程设施的_________、_________、_________、_________及其材料和有关技术参数的图样，以利于设计人员与施工人员相互之间的交流和正常的施工。一般由____________、____________、____________等组成。
3. 对于多层房屋，____________应单独绘制；中间楼层平面的管道布置若相同，可绘制一个____________；当屋顶设有水箱及管道布置时，应单独绘制__________________。
4. 墙身、柱、门和窗、楼梯、台阶等主要建筑构件的轮廓线用________实线绘制，房屋的细部及门窗代号均可________。洗涤池、洗脸盆、浴盆、坐便器等卫生设备和器具以图例的形式用________实线绘制。管道用________线绘制，其中给水管道用________，排水管道用________。
5. 在底层给水排水平面图中各种管道应按________予以编号。一般________以每一根室外引入管（即从室外给水干管引入室内给水管网的水平进户管）为一系统，________以每一根承接室外检查井的排出管为一系统。
6. 系统编号用细实线绘制直径为________ mm的圆；分子用相应的________表示管道的类别，例如“J”、“W”分别表示________、________；分母用________表示系统的编号。
7. 给水系统一般要求标注楼（地）面、屋面、引入管、支管水平段、阀门、龙头、水箱等部位的标高，管道的标高以____________为准。排水系统一般要求标注楼（地）面、屋面、主要的排水横管、立管上的检查口及通气帽、排出管的起点等部位的标高，管道的标高以____________为准。
8. 说明下列图例的含义：

图例	名称	图例	名称	图例	名称
—J—					
—W—					
—T—					

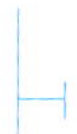					

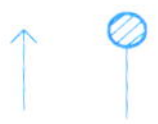					

作业指导

第七次作业：

一、目的

要求学生熟练掌握室内给水排水平面图及系统图的画法。

二、要求

1. 仔细阅读该住宅楼室内给水排水平面图及系统图，弄清给水排水管道的平面布置及管道的连接情况；
2. 图纸：3号图幅；
3. 比例：1:100；
4. 图线：要求粗、中、细各线宽度分明；
5. 字体：汉字用仿宋体，书写端正整齐，尺寸标注无误，图面整洁。

三、给水排水平面图绘图步骤

1. 先绘制定位轴线；
2. 画墙线；
3. 画门窗洞口位置；
4. 画给水及排水管道；
5. 标注尺寸。

四、完成内容

1. 抄绘储藏室给水排水平面图；
2. 抄绘给水系统图。

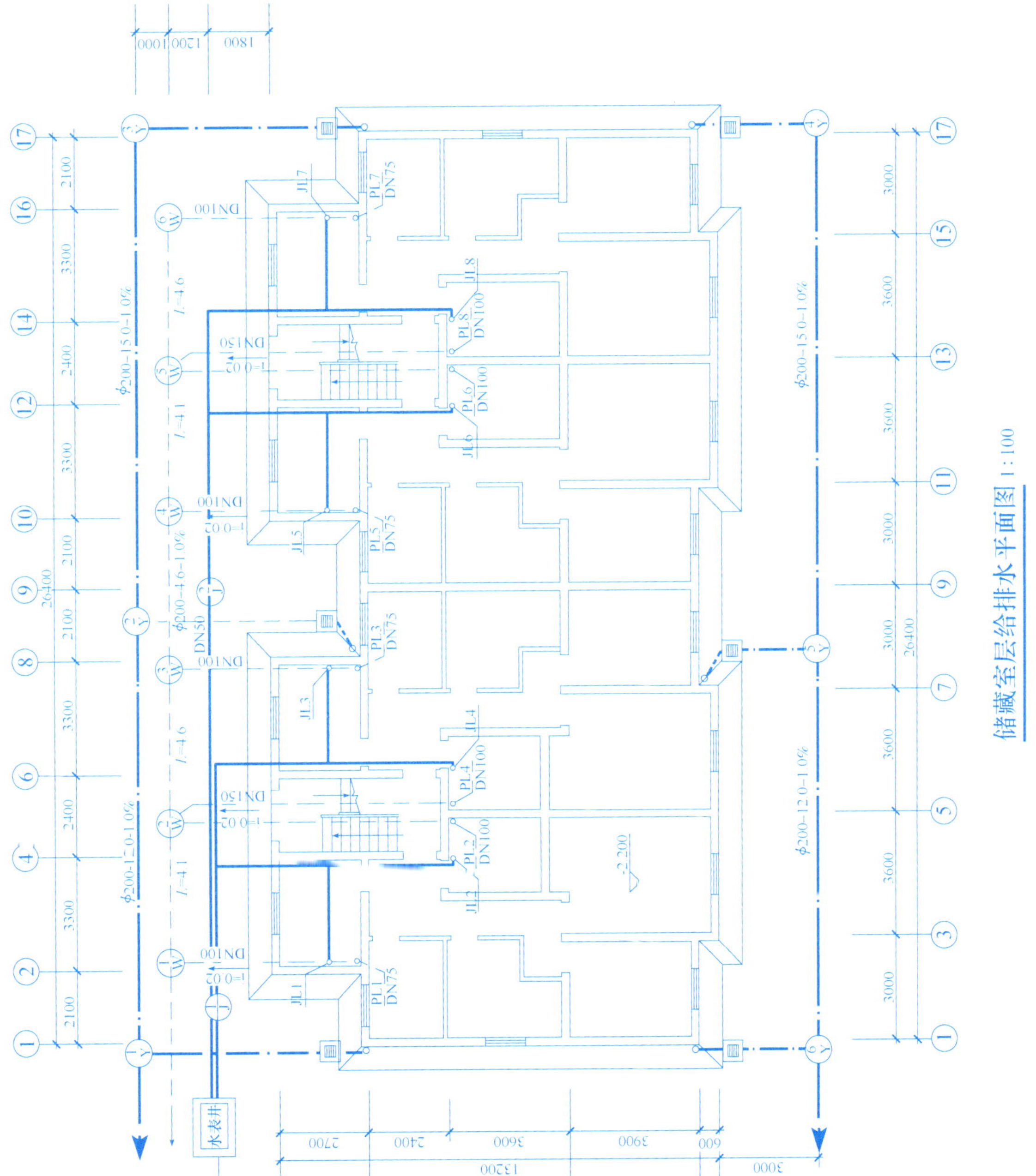

9-2 阅读某住宅基础图

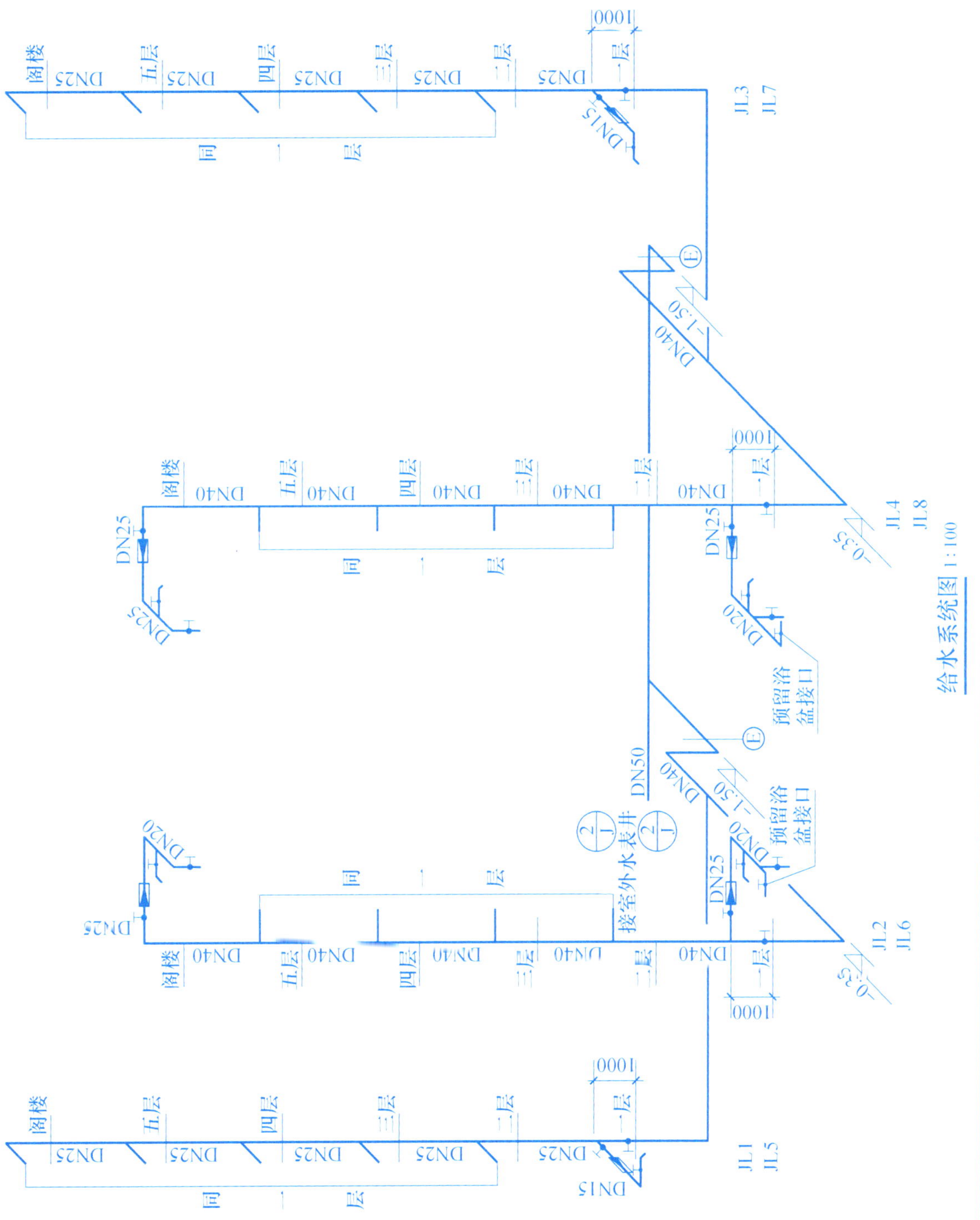

9-3 阅读某住宅给水系统图

9-4　阅读一～五层及阁楼层给水排水平面图

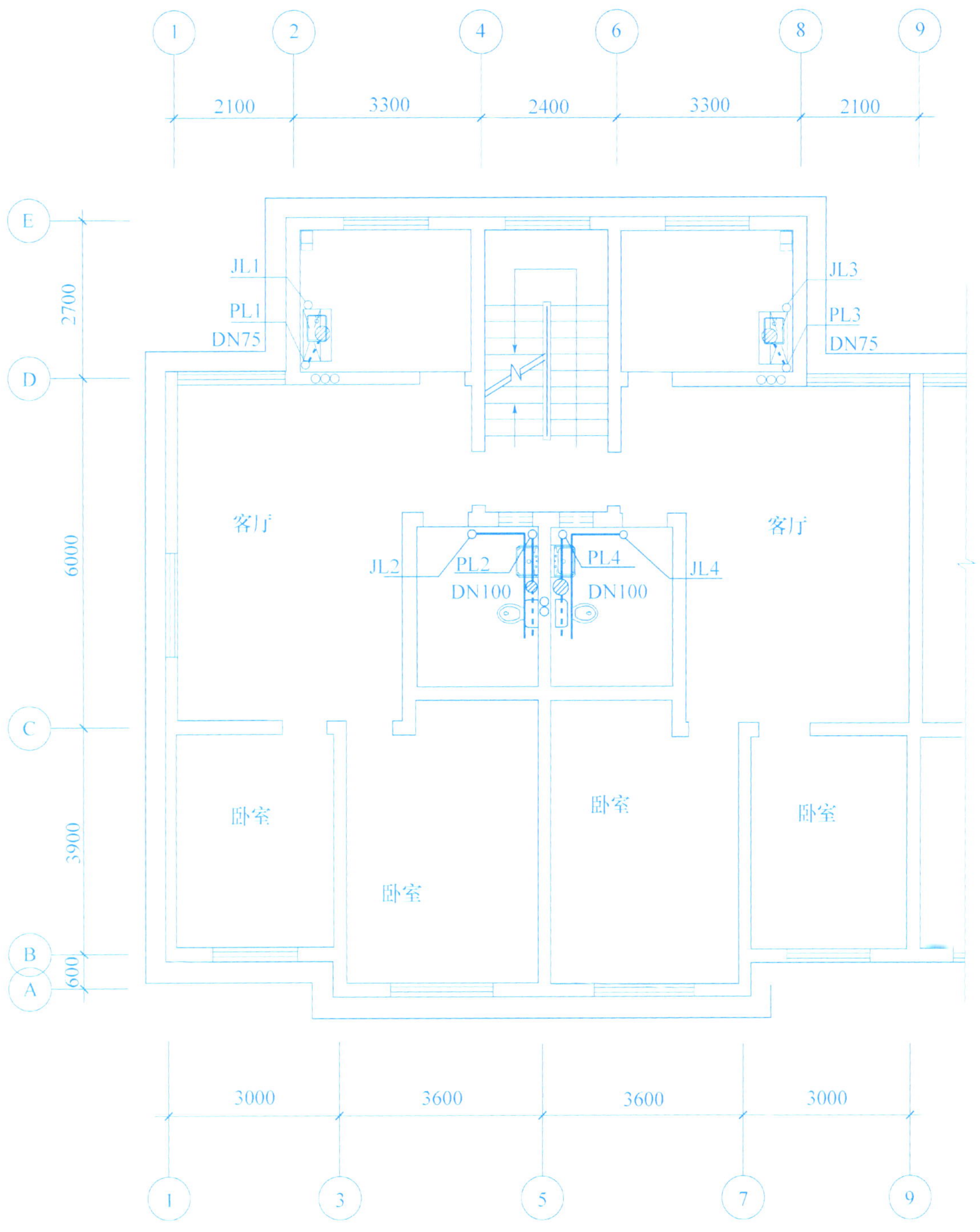

一～五层给排水平面图 1:100

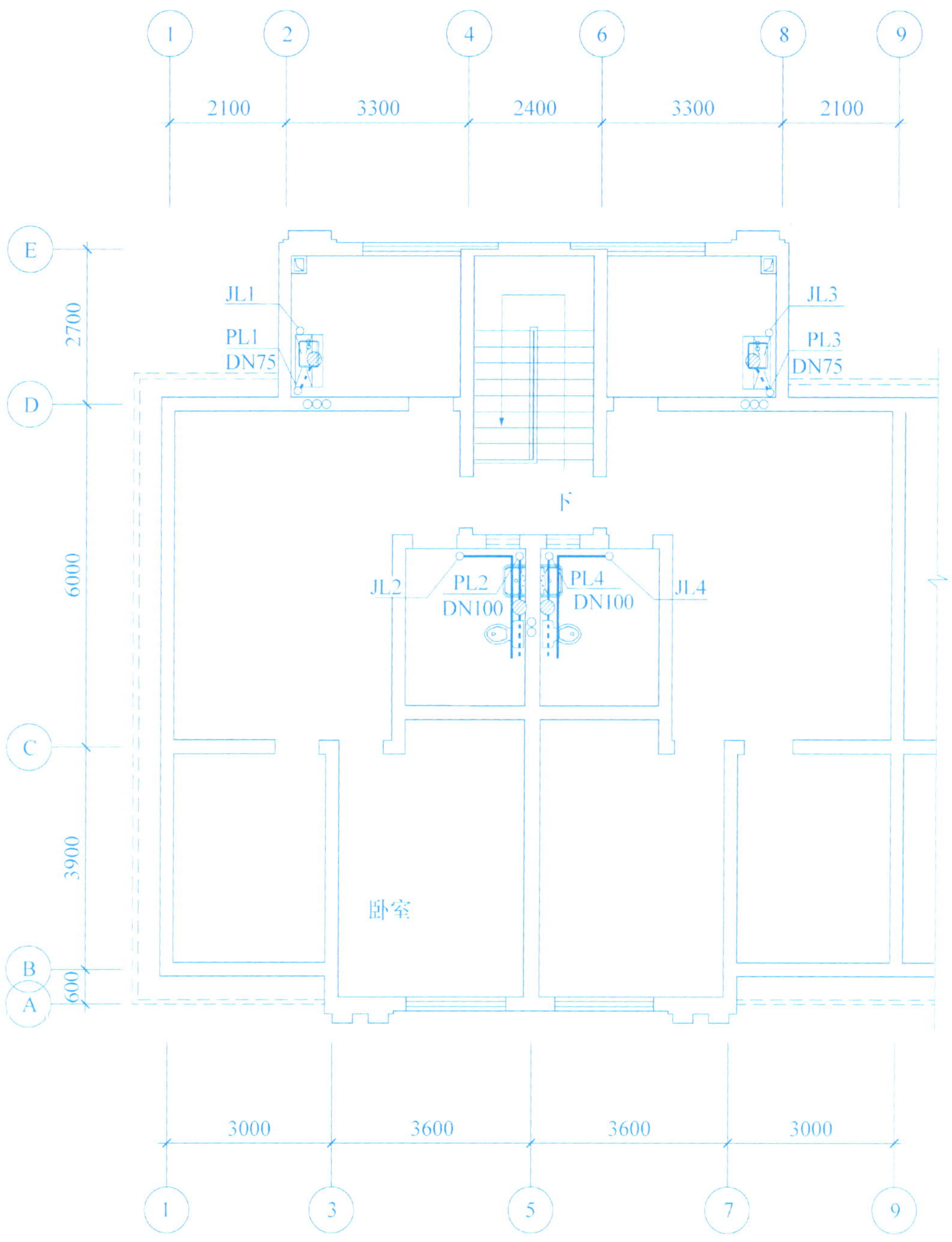

阁楼层给排水平面图 1:100

9-5 单选题

1. 大样图采取的比例是____________。

A. 1:10　B. 1:100　C. 1:50　D. 1:200

2. 正等轴测图 OX、OY、OZ 三个轴之间的夹角是____________度。

A. 135　B. 45　C. 120　D. 90

3. 读给水管道施工图时，一般按____________的顺序进行。

A. 引入管、干管、立管、支管、用水设备
B. 引入管、立管、干管、支管、用水设备
C. 支管、干管、立管、引入管、用水设备
D. 用水设备、干管、支管、立管、引入管

4. 给水管标高一般为____________标高。

A. 管顶　B. 管中心　C. 管底　D. 管内底

5. 排水管标高一般为____________标高。

A. 管顶　B. 管中心　C. 管底　D. 管内底

6. 管道标高一般以米为单位，标注到小数点后____________位。

A. 1　B. 2　C. 3　D. 4

7. 反应管道系统和附件空间布置形式的图纸是____________。

A. 平面图　B. 系统图　C. 立面图　D. 节点图

8. 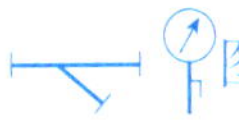图例在给水系统中表示____________。

A. 消火栓、三通
B. 截止阀、压力表
C. Y 形过滤器、压力表
D. 减压阀、压力表

9. 图例在排水系统中表示____________。

A. 清扫口、地漏、
B. 清扫口、通气帽、
C. 地漏、通气帽、
D. 检察口、清扫口、

10. 图例在给水系统中表示____________。

A. 消防水泵结合器、单出口消火栓
B. 消防水泵结合器 单出口消火栓、
C. Y 形过滤器、双出口消火栓
D. 减压阀、消防水泵结合器

11. 图例在给排水平面图中表示____________。

A. 大便器、立式洗脸盆
B. 洗涤盆、大便器、
C. 浴盆、挂式洗脸盆
D. 浴盆、立式洗脸盆

12. 图例在给排水平面图中表示____________。

A. 坐式大便器、洗脸盆
B. 坐式大便器、立式小便器
C. 立式小便器、妇洗器
D. 坐式大便器、挂式小便器

13. 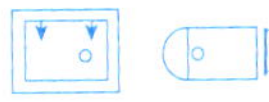图例在给排水平面图中表示____________。

A. 大便器、洗脸盆
B. 洗涤盆、大便器
C. 洗涤盆、蹲式大便器
D. 污水盆、大便器

14. 图例在给排水平面图中表示____________。

A. 排水栓、地漏
B. 清扫口、地漏
C. 地漏、清扫口
D. 清扫口、排水栓

15. 图例符号在给排水平面图中表示____________。

A. 止回阀、截止阀、
B. 闸阀、减压阀
C. 闸阀、碟阀
D. 闸阀、旋塞阀

16. 图例符号表示____________。

A. 闸阀、减压阀
B. 止回阀、安全阀
C. 截止阀、止回阀
D. 止回阀、截止阀

17. 

图例符号表示____________。

A. 消火栓给水管和自喷管
B. 保温管和水幕灭火管
C. 水幕灭火管和雨淋灭火管
D. 雨水管和水幕灭火管

18. 图例符号表示____________。

A. 皮带水龙头、脚踏开关
B. 肘式龙头、皮带水龙头
C. 脚踏开关、肘式龙头
D. 皮带水龙头、放水龙头

19. 图例符号表示____________。

A. 皮带水龙头、脚踏开关
B. 肘式龙头、皮带水龙头
C. 脚踏开关、肘式龙头
D. 放水龙头、皮带水龙头

20. 

图例符号表示____________。

A. 化粪池、隔油池
B. 降温池、沉淀池
C. 化粪池、降温池
D. 沉淀池、降温池

21. 

图例符号表示____________。

A. 化粪池、隔油池
B. 降温池、沉淀池
C. 化粪池、降温池
D. 沉淀池、降温池

22. 图例符号表示____________。

A. 雨水口、水封井
B. 雨水口、检查井
C. 检查井、雨水口
D. 水封井、跌水井

23. 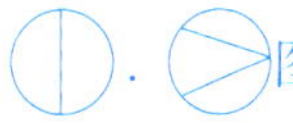图例符号表示____________。

A. 雨水口、水封井
B. 雨水口、检查井
C. 检查井、雨水口
D. 水封井、跌水井

24. 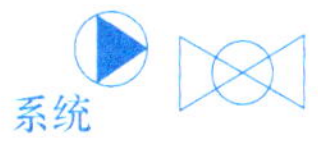

图例符号表示____________。

A. 水泵、潜水泵
B. 水泵、管道泵
C. 定量泵、管道泵
D. 管道泵、水泵

25. . 图例符号表示____________。

A. 电动阀、液动阀　　　　B. 液动阀、电动阀

C. 电动阀、气动阀　　　　D. 气动阀、液动阀

26. . 图例符号表示____________。

A. 水表、水表井　　　　B. 水表井、水表

C. 减压阀、水表井　　　　D. 减压阀、水表

27. . 图例符号表示____________。

A. 温度调节阀、手动闸阀　　　　B. 温度调节阀、压力调节阀

C. 旋塞阀、消声止回阀　　　　D. 压力调节阀、旋塞阀

28. . 图例符号表示____________。

A. 温度调节阀、手动闸阀　　　　B. 温度调节阀、压力调节阀

C. 旋塞阀、消声止回阀　　　　D. 压力调节阀、旋塞阀

29. . 图例符号表示____________。

A. 室外消火栓、室内消火栓　　　　B. 室外消火栓、单出口消火栓

C. 疏水器、室内消火栓　　　　D. 疏水器、单出口消火栓

30. 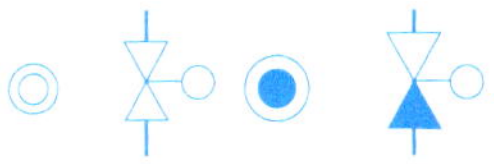. 图例符号表示____________。

A. 干式报警阀、湿式报警阀　　　　B. 雨淋阀、湿式报警阀

C. 干式报警阀、预作用式报警阀　　　　D. 湿式报警阀、干式报警阀

9-6　判断题

1. 排水管道的标高一般是管内底标高。

A. 对　　　　B. 错

2. 给水管道的标高一般是管内底标高。

A. 对　　　　B. 错

3. 蒸汽管道的标高一般是管中心标高。

A. 对　　　　B. 错

4. 自喷管道的标高一般是管中心标高。

A. 对　　　　B. 错

5. 雨水管道的标高一般是管中心标高。

A. 对　　　　B. 错

6. 热水管道的保温材料一般是橡塑海绵保温管和橡塑海绵保温板。

A. 对　　　　B. 错

7. 在低层建筑中，给水系统的工作压力即为室内管网所需的压力。

A. 对　　　　B. 错

8. 给水管道的试压压力即为室内管网所需的压力。

A. 对　　　　B. 错

9. 在分区给水的高层建筑中，给水系统的工作压力即为室内管网所需的压力。

A. 对　　　　B. 错

10. 在分区给水的高层建筑中，给水系统的工作压力即为该分区室内管网所需的压力。

A. 对　　　　B. 错

11. 在给水系统安装时管道的支架间距仅与管径有关。

A. 对　　　　B. 错

12. 在无保温的给水系统安装时管道的支架间距与管径和管材有关。

A. 对　　　　B. 错

13. 给水管道的防腐处理是所有管材都必须进行的。

A. 对　　　　B. 错

14. 

该图例符号表示浮球阀。

A. 对　　　　B. 错

15. 该图例符号表示排水立管检察口。

A. 对　　　　B. 错

16. 

该图例符号表示水泵吸水喇叭口。

A. 对　　　　B. 错

17. 该图例符号表示弹簧安全阀。

A. 对　　　　B. 错

18. 该图例符号表示消火栓。
A. 对　　　　B. 错

19. 该图例符号表示减压阀。
A. 对　　　　B. 错

20. 该图例符号表示温度调节阀。
A. 对　　　　B. 错

21. 该图例符号表示三通调节阀。
A. 对　　　　B. 错

22. 该图例符号表示角阀。
A. 对　　　　B. 错

23. 该图例符号表示存水弯。
A. 对　　　　B. 错

24. 该图例符号表示管道交叉，设置在上方和前面的管道断开。
A. 对　　　　B. 错

25. 该图例符号表示管道断开。
A. 对　　　　B. 错

26. 该图例符号表示管道交叉。
A. 对　　　　B. 错

27. 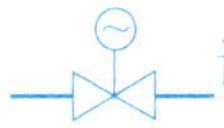该图例符号表示液动阀。
A. 对　　　　B. 错

28. 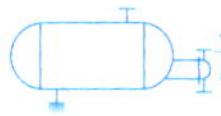该图例符号表示卧式热交换器。
A. 对　　　　B. 错

29. 该图例符号表示压力表。
A. 对　　　　B. 错

30. 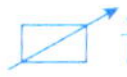该图例符号表示自动记录流量计。
A. 对　　　　B. 错

31. 该图例符号表示压力表。
A. 对　　　　B. 错

32. 该图例符号表示压力表。
A. 对　　　　B. 错

32. 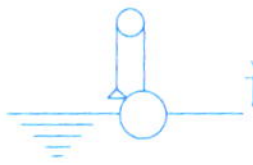该图例符号表示浮球阀。
A. 对　　　　B. 错

33. 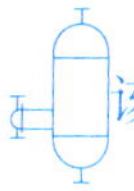该图例符号表示立式热交换器。
A. 对　　　　B. 错

34. 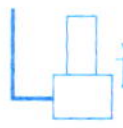该图例符号表示潜水泵。
A. 对　　　　B. 错

35. 该图例符号表示双口雨水口。
A. 对　　　　B. 错

36. 该图例符号表示阀门井或检查井。
A. 对　　　　B. 错

37. 

该图例符号表示隔油池。
A. 对　　　　B. 错

38. 该图例符号表示盥洗槽。
A. 对　　　　B. 错

39. 该图例符号表示淋浴喷头。
A. 对　　　　B. 错

40. 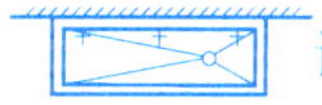该图例符号表示小便槽。
A. 对　　　　B. 错

　　班级　　姓名　　成绩

10-1　填空

1. 处于城市内的道路称为________，处于城市以外的道路称为________，穿入山岭或地下的道路称为________，跨越江河、峡谷等障碍的道路称为________，而埋在路基内横穿路基用以宣泄少量水流的构筑称为________。
2. 道路和桥隧工程图中的尺寸是以________为单位的。这一点与房屋建筑施工图以________为单位不同。
3. 道路工程图包括________、________和________。
4. 公路路线平面图主要表达了________、________和________三方面的内容
5. 路线平面线型有________和________。对于路线转弯处的平面曲线（简称平曲线），在平面图中用________编号来表示。如图中的 JD16 表示________交角点，路线在交角点处有一段平面曲线，。平面曲线的要素 α 为________，表示沿路线前进方向偏转的角度________；R 为曲线弯曲圆弧的________；T 是切线________，L 是曲线________，E 是________；对于缓和曲线，还应标出曲线起点 ZH ________、HY ________、QZ ________和 YH ________、HZ ________点的位置。
6. 路线纵断面图的作用是表达路线中心线纵向地面起伏、地质情况和沿线构造物的情况。路线纵断面图包括________和________两部分内容。
7. 竖曲线分为________和________两种，分别用“┌┴┐”和“└┬┘”符号表示。
8．路基横断面图是在路线中心桩处作一垂直于路面中心线的断面图。路基断面图的作用是表达各中心桩处路基的________、________、________的起伏和设计路基的横断面情况。
9. 路基横断面图的形式基本上有三种情况：________、________、________。
10. 城市道路的横断面就是垂直于道路中心线方向的断面。城市道路的横断面由________、________、________及________等组成。
11. 桥梁由三个主要部分组成：①________，包括主梁或主拱圈和桥面；②________，包括桥墩、桥台和基础；③________，包括护栏、灯柱等
12. 根据容许建筑高度的大小和实际需要，桥面可布置在桥跨结构的________、________和________。布置在桥跨结构上面的，称________；布置在桥跨结构下面的，称________；布置在桥跨结构中间的，称________。
13. 各类涵洞都是由洞口、洞身和防护工程组成。按结构形式不同分为：____________、____________、____________。
14. 常用的钢筋混凝土盖板涵工程图。洞口形式为八字翼墙式。工程图由________、________、________和________四个图组成。

作业指导

第八次作业：

一、目的

要求学生熟练掌握公路路线平面图的画法。

二、要求

1. 仔细阅读道路路线平面图、路线纵断面图和路基横断面图，弄清地形、地物和路线情况。
2. 图纸：3 号图幅。
3. 比例：1:100。
4. 图线：要求粗、中、细各线宽度分明。
5. 字体：汉字用仿宋体，书写端正整齐，尺寸标注无误，图面整洁。

三、公路路线平面图绘图步骤

1. 先绘地形图；
2. 然后画路面；
3. 再画路基面、边坡及收地宽度；
4. 按里程顺序确定测量控制点（三角点、水准点等），从左到右依次绘制；
5. 最后画出地形地貌，注写文字，填写角标和图表；
6. 画指北针，拼接时以北向对齐为准。

四、完成内容

1. 公路路线平面图；
2. 路线纵断面图。

10-2　阅读公路路线平面图。

No	α		R	T	L	E
	Z	Y				
JD_1	12°30′18″		5500	602.00	1200.34	32.91

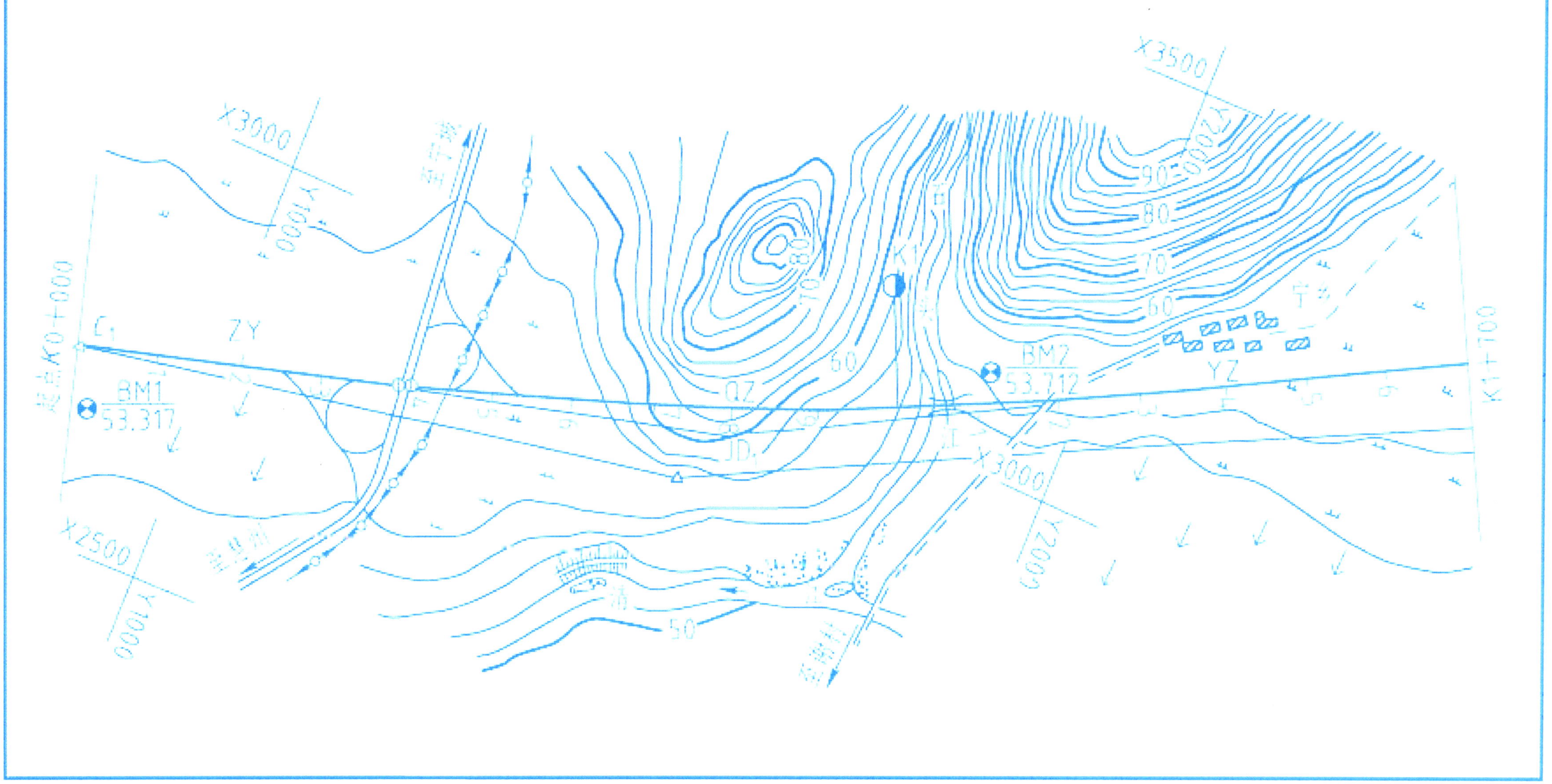

10-3　阅读公路路线纵断面图。

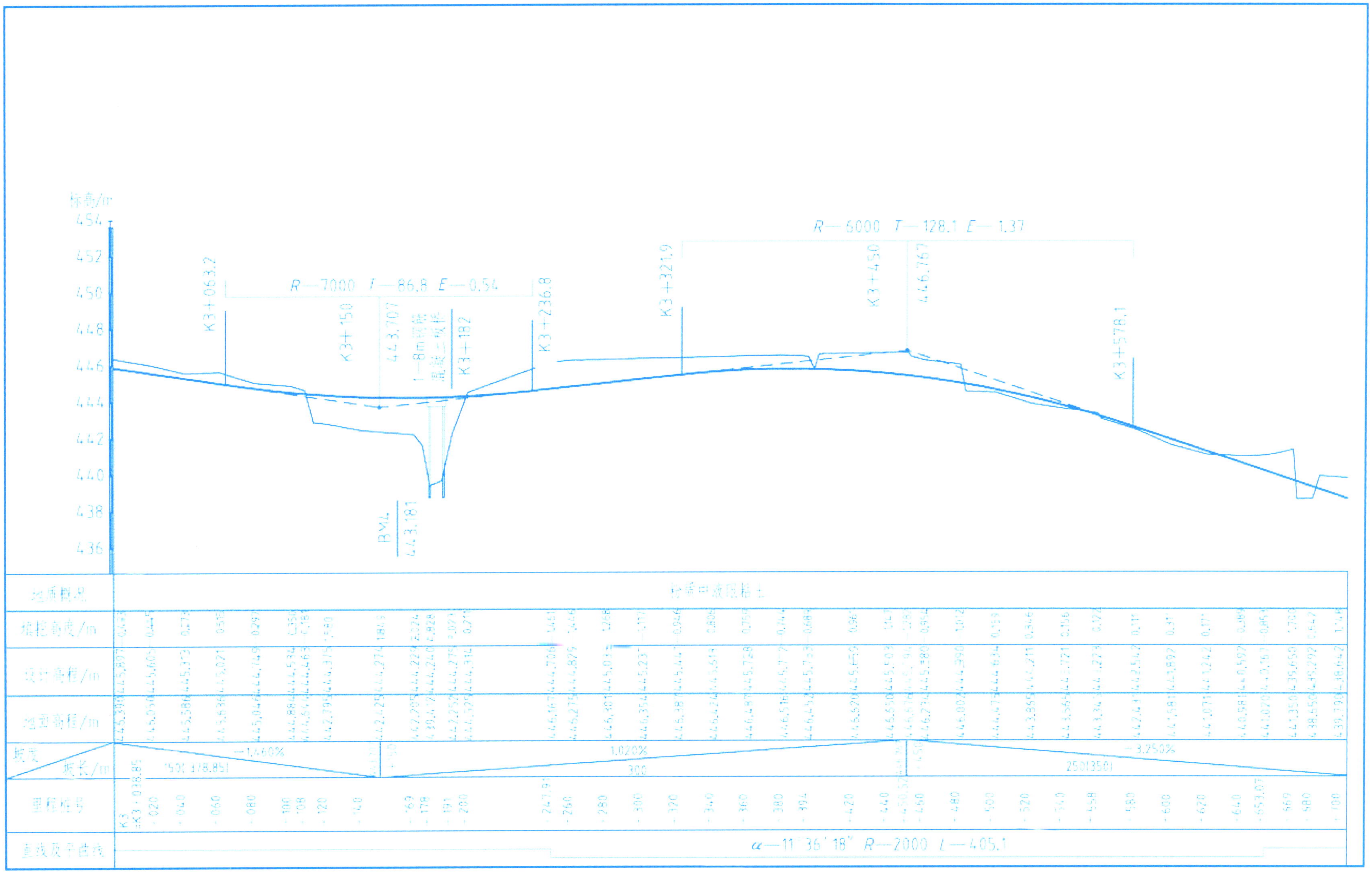

10-4 阅读公路横断面图。

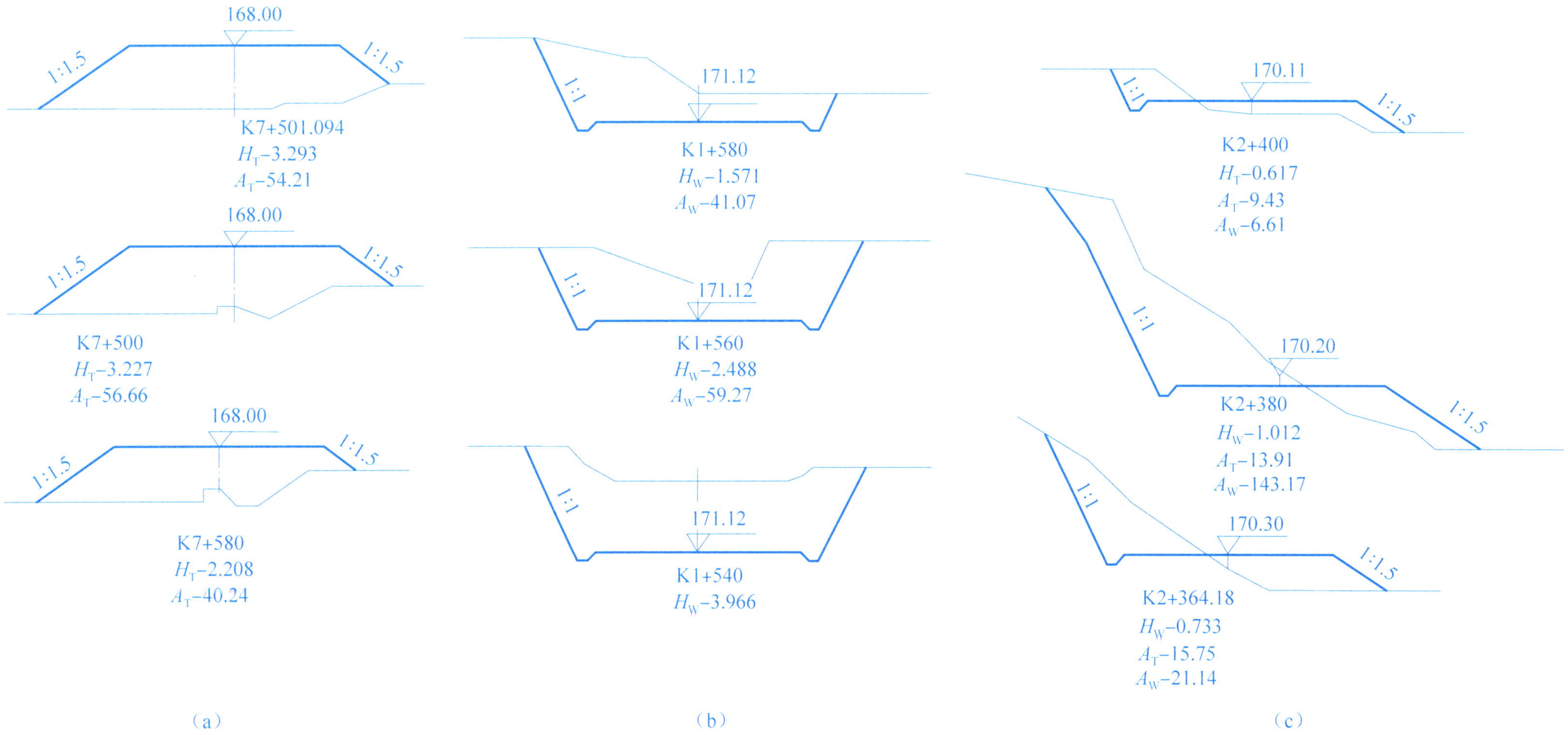

10-5　阅读桥位平面图

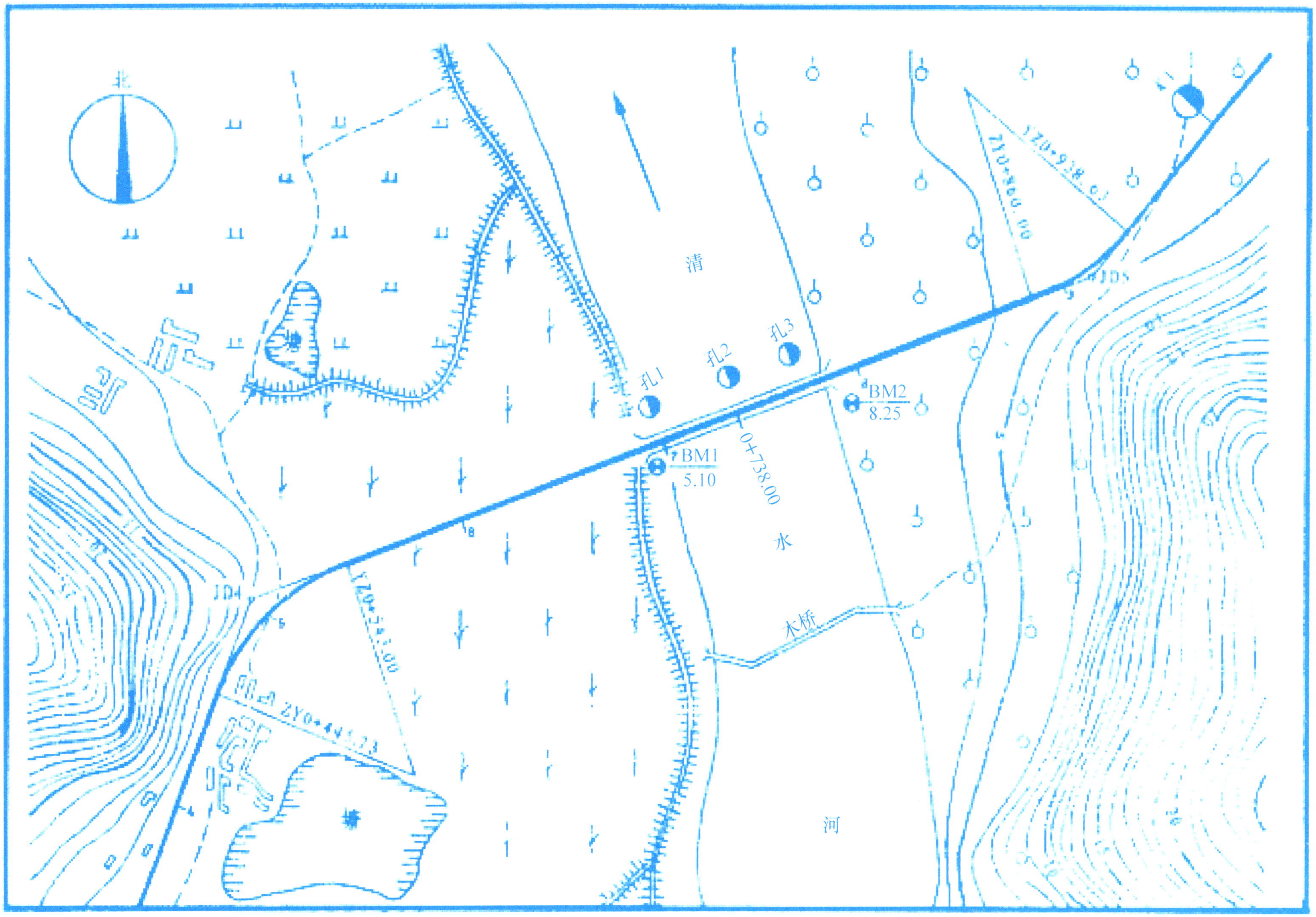
北
清
水
河
孔1
孔2
孔3
BM1
5.10
BM2
8.25
0+738.00
木桥
JD4
JD5
ZY0+443.23
YZ0+543.00
ZY0+866.00
YZ0+938.63

10-6　阅读桥位地质纵断面图

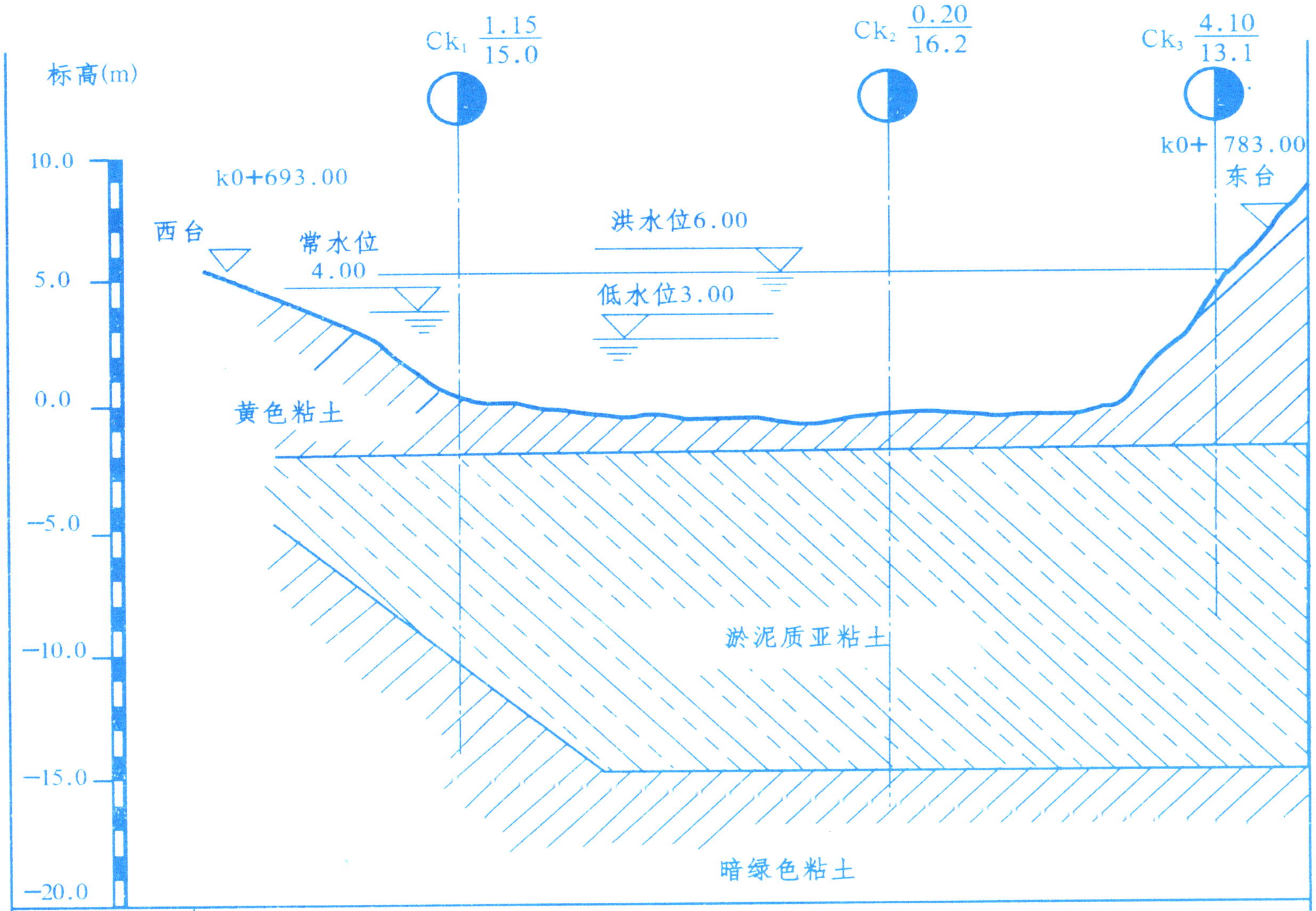

钻孔编号	1	3	3	
孔口标高 (m) 钻孔深度 (m)	1.15	15.0　0.20	16.2　4.10	13.0
间 距 (m)		40.00	38.00	

10-7　阅读桥梁总体布置图

半立面

中板跨中

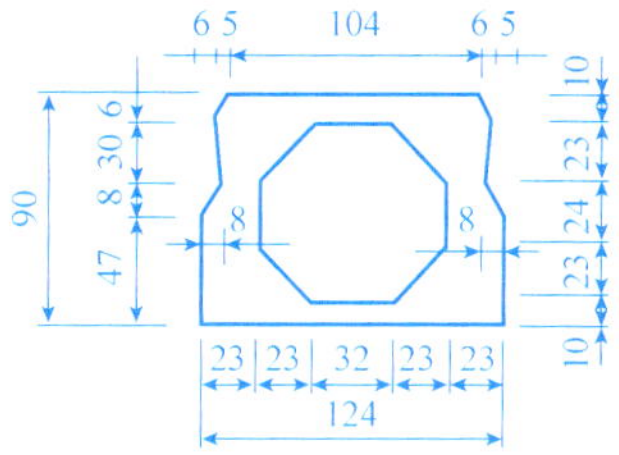

中板支点

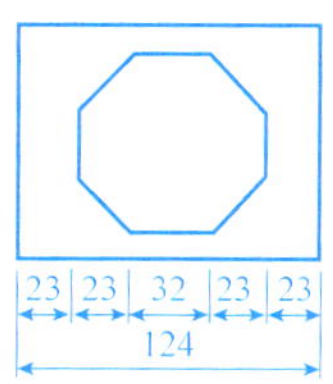

半平面

一片铰缝钢筋明细表

编号	直径（mm）	每根长度（CM）	根数	重量（KG）	共重（KG）	C40混凝土（m^3）	M5水泥沙浆（m^3）
1	Φ8	113	75	33	60	1.073	0.022
2	Φ12	1500	2	27			

铰缝构造

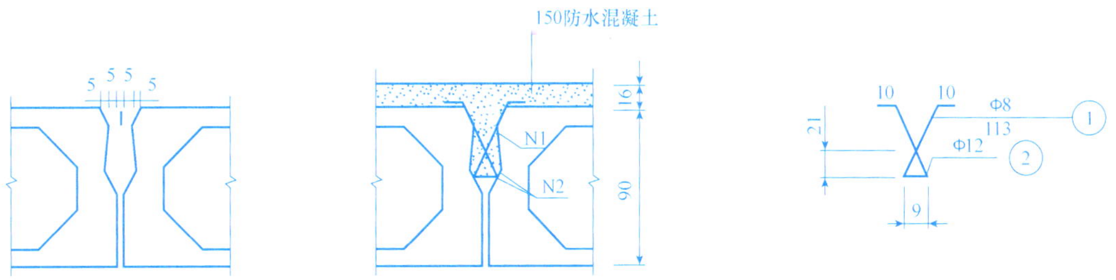

说明：

1.本图尺寸除钢筋直径以毫米计外，余均以厘米计。

2.本图比例为1：25。

3.为了保证铰缝浇筑质量，铰缝墙部90厘米范围内采用M5水泥砂浆填筑，其余部分采用C40混凝土；

4.铰缝中钢筋仅布置在跨中左右各一定范围内，施工中先形成骨架后放入铰缝内，并与预制钢筋绑扎在一起；

5.N1钢筋的间距为20厘米；

6.在浇筑空心板混凝土时，注意板端封堵预留2个d10的通气孔。

××公路勘察设计院	××线甲地至乙地二级公路××大桥	中板构造图	设计	复核	审核	图号